novum premium

Die langen Jahre der Vergangenheit

Erinnerungen eines Tierarztes,
25 Jahre DDR – 25 Jahre BRD

Johannes L. Werner

novum premium

www.novumverlag.com

Bibliografische Information
der Deutschen Nationalbibliothek:

Die Deutsche Nationalbibliothek
verzeichnet diese Publikation in
der Deutschen Nationalbibliografie.
Detaillierte bibliografische Daten
sind im Internet über
http://www.d-nb.de abrufbar.

ISBN 978-3-95840-143-3
Lektorat: Stefanie Krüger
Umschlagfoto:
Valeriy Kachaev | Dreamstime.com
Umschlaggestaltung, Layout & Satz:
novum Verlag

Gedruckt in der Europäischen Union
auf umweltfreundlichem, chlor- und
säurefrei gebleichtem Papier.

www.novumverlag.com

FÜR REGINA

Dieser Traum ist einer der wenigen in meinem Leben, der noch nach langer Zeit so nachhaltig in meiner Erinnerung gespeichert ist. Meistens vergisst man seine Träume schon kurz nach dem Erwachen. Aber diesen Traum kann ich einfach nicht aus meinem Gedächtnis löschen …

… das Bild mutet etwas surrealistisch an. Eine Lichtung in einem von üppigem Grün überwucherten Wald, riesige urwaldähnliche Bäume strecken sich himmelwärts, ein träge dahingleitender Fluss gibt eine Biegung frei, eine Sandbank liegt in der Sonne. Am Ufer, auf dem sandigen Streifen, liegt eine Frau, halb nackt, langes dunkles Haar umschmeichelt ihre Schultern – sie ist tot. Es ist Regina, meine Frau. Und ich schwebe über ihr, ob ich auch tot bin oder nicht weiß ich nicht, aber meine Tränen fallen auf ihren Körper, immer mehr, und plötzlich wird sie wieder zum Leben erweckt … Ich wache auf, sitze im Bett und weine hemmungslos. Regina liegt neben mir und bemerkt von allem nichts, und sie schnarcht leise vor sich hin. Nun muss ich lachen. Ich liebe sie, und auch noch nach den langen gemeinsamen Jahren.

Das Telefon klingelt, ein Kunde ruft an. Ich fahre in das kleine Fachwerkhaus an der langen Straße, die durch unseren Ort führt. Vor dem Haus steht ein Notarztwagen, der Fahrer und der Arzt kommen mir entgegen. Ich schaue genauso verdutzt wie die beiden, gehe aber ins Haus und werde vom Besitzer in die kleine Stube geführt, in der zahlreiche Leute herumstehen und komisch gucken. Im Halbdunkel stolpere ich fast über eine am Boden liegende Person, die da seltsam steif den Weg versperrt. „Ach, es ist nur die Oma, wir hatten eine kleine Feier, und sie ist gerade gestorben“, sagt der Mann ohne sichtbare Rührung. Ich bin ziemlich verdattert und meine, ich könnte ein anderes

Mal wiederkommen. Aber er möchte, dass ich seine Pferde impfe und dies in die Pässe eintrage, da ich nun mal da sei. Ich gebe also den Pferden ihre Spritzen, steige über die immer noch daliegende Oma hinweg, fülle die Pässe der Pferde aus und verlasse einigermaßen irritiert das Haus. Der Leser kann es sich schon denken. Ich bin Tierarzt auf dem Lande, und es gibt eine Menge ähnlicher Begebenheiten in einem langen Berufsleben.

Leipzig 1958. Das Abitur war geschafft! Uns stand zwar nicht die Welt offen, wie wir es uns gewünscht hätten, aber der neue Abschnitt in unserem Leben sollte doch ganz interessant und lebhaft werden, manchmal lebhafter als vorher gedacht.

Erst einmal stand die Frage im Raum: Wie geht es nun weiter? Mein Freund Schorsch, der ebenfalls Tierarzt werden wollte, hatte seine Bestätigung fürs Studium schon in der Tasche und musste nur noch ein sogenanntes praktisches Jahr in irgendeinem volkseigenen Betrieb absolvieren. Hauptsache war, der Betriebsleiter stellte am Ende ein einigermaßen gutes Zeugnis aus. Ich hatte keine Bestätigung erhalten, obwohl unsere Abiturnoten aufs Haar die gleichen waren. Schorsch hatte den Vorteil, dass seine Mutter als Zahnärztin einen Einzelvertrag mit dem Staat besaß, der die Förderung ihres Nachwuchses mit einschloss.

Also begann ich, die Sache anders anzugehen und stellte mich im VEB Gießerei in Leipzig vor. Dort arbeiteten neben Schorsch noch andere Abiturienten vor ihrem Studienbeginn. Ich bekam eine Stelle als Gießereihilfsarbeiter und schuftete nun tagein, tagaus in einer schlecht belüfteten Fabrikhalle, wo Kleinteile gegossen wurden. Das nachmittägliche Gießen, das glühende flüssige Eisen, der bestialische Gestank, es war nicht zum Aushalten.

An einem Wochenende radelte ich in das Oberholz, ein Waldgebiet im Osten von Leipzig, und suchte einen bestimmten Waldrand ab. Neben Zaun- und Waldeidechsen gab es hier auch die eine und andere Kreuzotter. Endlich entdeckte ich eine solche Schlange, fing sie mit einem Gabelstock und … mir schlug das Herz bis zum Halse. Ich hatte vor, mich von dem Tier beißen zu lassen, um in den Genuss einer Krankschreibung zu kommen. Ich schob meine Hand zehn Zentimeter vor den Kopf der Schlange und schloss die Augen. Es passierte nichts. Noch mal wollte ich das giftige Tier nicht reizen und zog irgendwie erleichtert meine Hand aus der Gefahrenzone. Nun musste ich mir etwas anderes einfallen lassen.

Tage später wickelte ich mir eine Binde ums linke Handgelenk und setzte mich ins Wartezimmer des Betriebsarztes. Schmerzen hätte ich, vielleicht eine Sehnenscheidensache. Doch der alte Fuchs von Mediziner durchschaute mein Manöver, machte aber den Fehler, einer Schar von Medizinstudenten meinen Fall in fließendem Latein vorzutragen. Die Studenten taten, als ob sie alles verstanden hätten, guckten aber so, wie die Sau ins Uhrwerk schaut. Ich war ja nur der doofe Hilfsarbeiter, aber in dem Gewirr lateinischer Wörter verstand ich auch „non laborare", also „um nicht zu arbeiten". Die Alarmglocken schrillten, und mit engelsgleichem Lächeln sagte ich dem Doktor, ich wolle auf keinem Fall eine Krankschreibung, vielleicht eine Salbe, damit ich ohne Schmerzen arbeiten könne. Die Verblüffung war dem Alten ins Gesicht geschrieben, die Studenten hatten wie erwartet nichts richtig mitbekommen, und ich erhielt eine Salbe und musste wieder in meine geliebte Gießerei.

Beim Judotraining zog ich mir Wochen später eine Prellung im Lendenbereich zu, als ich bei einem Wurf nicht auf der Matte, sondern daneben auf dem Parkett landete. Der behandelnde Arzt schrieb auf dem Attest, ich solle für eine längere Zeit keine schweren Arbeiten verrichten und nicht schwer heben und tragen.

Das Attest wanderte auf schnellsten Weg in die sogenannte Kaderabteilung meines Betriebes, und noch in gleicher Stunde stand der Chef persönlich in der Gießerei, ich musste alles aus der Hand legen, was ich gerade wegzutragen hatte, und ich bekam einen Posten im Gütereingang, wo nur kleinere Pakete angeliefert wurden und alles fein säuberlich geordnet und in Regale verstaut werden musste. Wir waren dort drei Personen: ein Meister, ein weiterer Studienanwärter – Mathematik – und ich. Hier ließ es sich aushalten, im Gegenteil, es wurde oft saulangweilig.

Das Jahr verging, und es kam die Stunde der Wahrheit. Eines Tages erschien ein Herr von der Uni, um ein Gespräch mit mir zu führen. Es kristallisierte sich heraus, dass ich auf keinen Fall für Veterinärmedizin immatrikuliert werden konnte, zum einen wegen zu vieler Bewerber, zum anderen, weil meine Schwester Republikflucht begangen hatte. Nun ja, es stimmte auch. Ich sollte stattdessen auf die Schule für Veterinärtechniker nach Dresden-Pillnitz gehen, das wäre überhaupt kein Problem, ich bräuchte nur zu unterschreiben.

Stur, wie ich bin, tat ich ihm nicht diesen Gefallen, sondern wollte dann lieber Biologie studieren, im Wissen, dass dieser Studiengang hoffnungslos überfüllt war. Nach langem Hin und Her zog der feine Mensch plötzlich ein Papier hervor, auf dem meine Zulassung zum gewünschten Studium schwarz auf weiß bestätigt war. Sicher gab es Prämien oder irgend so etwas, wenn Bewerber auf andere Fächer umgelenkt werden konnten.

Nun sollte erst mal nichts mehr schiefgehen, und ich war doch recht glücklich, auch über meine Haltung. Eine gewisse Halsstarrigkeit habe ich über die ganzen langen Jahre beibehalten, mit guten Erfolgen.

Nun war ein längerer Urlaub angesagt. Unser Domizil wurde, wie auch in den folgenden Jahren, Prerow auf dem Darß, also die Ostsee. Mit Schorsch zeltete ich drei Wochen lang in den Dünen, und wir erholten uns von unserer Arbeit im Betrieb. Alles Beschwerliche war vergessen.

Die Zeit Anfang September war recht günstig. Wir erhielten ohne Probleme eine Campinggenehmigung, was in der Saison kaum möglich war. Die Tage im September waren in diesem Jahr noch warm und sonnig, wir konnten unsere Seelen so richtig baumeln lassen.

An einem Nachmittag sagte einer unser Mitcamper, er hätte einen jungen Schauspieler am Strand gesehen, Krug würde der heißen, und der hätte in einem bekannten Stück eine beachtenswerte Rolle gespielt. Leicht neugierig geworden suchten wir die Nähe des uns bis dahin völlig unbekannten Mannes. Der machte die Abende am Lagerfeuer mit Gitarre und Gesang immer wieder zu einem Erlebnis und brachte es später zu großer Bekanntheit und einer steilen Karriere. Aber warum erzähle ich das alles? Manne Krug hatte eine mittelgroße

Schussharpune und zeigte uns, indem er auf im Sand liegende Blätter schoss, wie man so auch im Wasser Aale erlegen konnte. Fast hätte ich dies alles vergessen, aber just fünfzig Jahre später, im Jahr 2015, waren Regina und ich, inzwischen altersmäßig auch schon jenseits von Gut und Böse, zu einem Konzert mit Uschi Brüning und Manfred Krug im Gewandhaus Leipzig. Und da zeigte Krug seine Vielseitigkeit, auch, indem er eine Kurzgeschichte zum Besten gab. Er erzählte in der „Ich"-Form, meinte aber, alles sei nur eine Fiktion. Kurz, er hätte vor dem Mauerbau immer mal Räucheraale in der S-Bahn nach Westberlin geschmuggelt. Toll erzählt, lustig. Ich wäre glücklich, so schreiben zu können. Aber er betonte es immer wieder, er selbst hätte mit der schmuggelnden Person in Wirklichkeit nichts zu tun. Dabei war es in der DDR so gut wie unmöglich, an Aale heranzukommen, es sei denn durch Wilderei. Und da fiel mir die Begegnung damals an der Ostsee wieder ein, Krug beim Räubern von Fischerreusen. Da ich auch immer, zumindest damals, solche Ambitionen hatte, gab es für mich nur einen Schluss: Manne Krug hatte sich in seiner tollen Kurzgeschichte möglicherweise doch selbst dargestellt.

Eines Tages, die Sonne strahlte schon am frühen Morgen, radelten wir zur Straße nach Zingst. Dort hatten wir früher schon oft Kreuzottern beobachtet. Nach einigem Suchen entdeckten wir das erste Tier, versteckt im Gras liegend. Es war eines der ausgesprochen schönen Exemplare, die in diesem Gebiet vorkommen, fast tiefschwarz, sodass man die typische Zickzackzeichnung auf dem Rücken kaum sehen konnte, mit rubinrot leuchtenden Augen und unglaublich schnell beim Davongleiten und Zubeißen. Wir fingen sechs von der Sorte, verstauten sie in Leinenbeuteln und nahmen sie mit auf unsere Heimreise per Fahrrad. Dass mich bei diesen Aktionen einmal eine in den Finger gebissen hat und ich deshalb zum Arzt musste zur Antiserumbehandlung, sei nur am Rande erwähnt.

Wir schrieben das Jahr 1959, Westberlin war noch nicht abgeschottet, und wir radelten durchs Brandenburger Tor Richtung Westberlin. Die DDR-Grenzer kontrollierten natürlich alle, die die Sektorengrenze passieren wollten. Schorsch hatte zwei große Taschen seitlich am Gepäckträger, und die musste er aufmachen.

„Was habt ihr in den Gepäcktaschen?", fragte der Beamte.

„Dreckige Socken", antwortete Schorsch.

Aber außer dreckiger Socken und Kleidungsstücken war da auch nichts drin. Die Kreuzottern hatten wir aufgeteilt, jeder von uns hatte drei Stück in einem Beutel in die Hosentasche gestopft. Durchgebissen hat Gott sei Dank keine. Ich weiß nicht, wie sonst unser späteres Liebesleben ausgesehen hätte.

Mit den geschmuggelten Schlangen steuerten wir den Berliner Zoo an. Dort fragten wir im Terrarium den Chef, ob er an den Tieren interessiert wäre. Schorsch hatte alle Ottern in einen Glasbehälter geschüttet, und der Kunde zeigte auf vier besonders schöne Exemplare, die er haben wollte. Schorsch fasste einfach mit den bloßen Händen in den Behälter und zog die Schlangen heraus. Dem Chef der Reptilienabteilung standen die Haare zu Berge, aber die Tiere blieben ganz friedlich.

Wir bekamen einige Westmark und konnten uns einen Kinobesuch und jeder eine Jeans leisten, und für einige übrig gebliebene Westmark kaufte sich Schorsch in einem Zoogeschäft, bei „Schlangenmüller", einen wunderschönen Gecko, einen Tokeh. Die zwei übrig gebliebenen Schlangen mussten wir wieder mit zurück schmuggeln und gaben ihnen im schon erwähnten Oberholz die Freiheit. Der Gecko bekam ein großes Terrarium mit einer Rückwand aus Steinplatten und Verstecken und wurde der Liebling von Schorsch, neben drei Grünen Leguanen und einigen Wasserschildkröten.

Da das Tier im Winter auch Lebendfutter benötigte, hatten wir dank der freundlichen Hilfe des Kurators des Leipziger Zoo-Terrariums die Möglichkeit, eine Falle für die im Zoo als ungeliebte Parasiten auftretenden orientalischen Schaben aufzustellen. Dazu diente ein Einmachglas, dessen oberer Rand mit Fett eingerieben wurde, mit ein paar Brocken möglichst stinkendem Käse darin. Das stellten wir in eine Öffnung unter den Schauterrarien, in der die Heizungsrohre entlangliefen. Dort war es extrem feucht und warm, das Glas stand an der Wand, das Fett wurde flüssig, die Schaben kletterten die Wand hoch, angezogen von den für sie unwiderstehlichen Düften des alten Käses, fielen ins Glas und konnten den durchs Fett zu glatten Rand nicht überwinden, um wieder zu entkommen. Die Ausbeute für den Tokeh war immer grandios.

Aber warum erzähle ich das alles? Wir wollten nach einer solchen Fangaktion noch an den Elster-Saale-Kanal zum Schnorcheln und Apnoetauchen fahren. Es war Ende Mai, tolles Wetter, und das Wasser lockte. In Leutzsch fuhren wir eine Einbahnstraße in der verkehrten Richtung, und wie es der Teufel wollte, stand plötzlich ein Polizist vor uns und wollte die Ausweise sehen. Er zeigte deutlich, dass er uns nicht wohlgesonnen war. Wir meckerten natürlich auch, was dazu führte, dass er uns mit aufs nahegelegene Polizeirevier nahm. Dort mussten wir uns allerhand anhören, bevor der Beamte unsere Personalausweise an sich nahm und diese zwecks einer genaueren Überprüfung mit in ein anderes Zimmer nahm.

Wir waren für eine Weile allein in dem großen Raum, als Schorsch plötzlich die Plastiktüte mit den Schaben hervorzog und den Inhalt des Beutels auf den Boden schüttete. Die Schaben rannten aufgeregt in alle Richtungen davon. Wer schon einmal orientalische Schaben gesehen hat, weiß, dass es riesige Insekten sind, die die Angewohnheit haben, aus einer vorgetäuschten Ruhephase heraus urplötzlich im Zickzack davonzurasen, die großen Fühler ausgestreckt. Und stinken tun sie auch noch.

Als der Polizist wieder das Zimmer betrat, saßen noch zwei Schaben unübersehbar in der Mitte des Raumes. Vorsichtig wollte er sie mit der Stiefelspitze berühren, aber da stoben sie auch schon wie von der Tarantel gestochen davon, in irgendwelche Ecken und Ritzen, weg waren sie nun alle.

„Was war denn das?“, konnte der Uniformierte nur sagen und schaute uns misstrauisch an.

Und Schorsch erwiderte trocken: „Das Fenster ist doch offen, sicher waren es Maikäfer.“

Wir mussten drei Mark Strafe bezahlen und konnten wieder gehen. Ob die Schaben in der ihnen eigenen Art sich sprunghaft vermehrt haben, um anschließend die Akten des Reviers zu fressen, haben wir leider nie erfahren, es aber gehofft.

Oktober 1959: Nun begann das Studium. Ich hatte es nicht weit zu den Tierkliniken, mit dem Fahrrad keine zehn Minuten. Alles war neu, und womit ich nicht gerechnet hatte, waren die Grundlagenfächer Chemie, Physik und Biologie, die wir schon aus der Oberschule kannten. Russisch und Marxismus-Leninismus durften natürlich auch nicht fehlen und wurden mürrisch geduldet.

Die ersten vier Semester, also zwei Jahre, hatten es in sich, dauernd Testate, kleine Prüfungen, die man vergeigen konnte und wiederholen musste, die aber wichtig waren, um zu den Prüfungen am Studienjahresende, einmal dem sogenannten Vorphysikum und dann nach zwei Jahren dem Physikum, zugelassen zu werden. Sehr viel Freizeit war da nicht möglich, es wurde gebüffelt, um alles so gut wie möglich zu abzuschließen.

Nach dem bestandenen Vorphysikum mussten alle Studenten zur Reservistenausbildung einrücken. Mit gemischten Gefühlen ging es nachts nach Torgelow in eine Kaserne. Unser Studienjahr hatte die Ehre, als Kanoniere ausgebildet zu werden. Wir wurden eingekleidet und sahen teilweise aus wie Schießbudenfiguren. Schorsch, der Größte von uns, hatte zu kurze Hosen, und so rutschten ihm die Hosenbeine beim Marschieren oft aus den Gamaschen. Getoppt wurde dieser Anblick noch, wenn es hieß: „Rechts schwenkt" und Schorsch mit der ihm eigenen Auffassungsgabe als Einziger nach links schwenkte und dies erst nach einigen Metern des Alleinseins merkte. Der uns befehligende Unteroffizier kochte vor Wut. Da neben Schorsch aber auch alle anderen solche oder ähnliche Fehler machten, mich eingeschlossen, wurden wir oft bis zu mitternächtlicher Stunde mit Kartoffelschälen oder Strafexerzieren belohnt.

Natürlich wollte man in der kurzen Zeit auch richtige Soldaten aus uns machen. Dazu gehörte Nahkampftraining, um auch gegen Angriffe der „Ranger" aus dem Westen gewappnet zu sein. Es waren recht hilflose Bemühungen. Abwehr eines Stoßes mit der MPi,einer Maschinenpistole, und ähnliche Dinge. Der Unteroffizier machte es vor. Nun sollte es jemand von uns nachmachen. Wer? Alle riefen: „Der Werner!" Der UfZ brüllte: „Kanonier Werner, vortreten." Ich latschte in der mir eigenen

Art nach vorn. Mein Gegner richtete die Kalaschnikow auf mich und machte einen gezielten Stoß in meine Richtung. So schnell konnte er gar nicht schauen, wie er auf meiner Schulter lag und zappelte.

„Soll ich Sie nun noch auf den Boden knallen?", flüsterte ich ihm ins Ohr.

„Nein, Werner, sind Sie verrückt, lassen Sie mich runter", keuchte er nur.

Wenn später irgendeine sinnlose Übung anstand und ich meinem Freund Schorsch über die Eskaladierwand half oder beim Kriechen unter Stacheldraht auf der Sturmbahn zum gemächlichen Tempo anhielt, sagte der Vorgesetzte, er wisse doch, dass ich keine Lust habe, aber bitte, bitte doch etwas schneller, damit er keinen Ärger bekommen würde.

Wir, ich und mein Studienkollege Engelmann, mussten eines Abends mit in das Städtchen Torgelow auf Streife gehen. Ein Fahrer und ein uns unbekannter Oberleutnant gaben uns Instruktionen. Befehle sollten unbedingt ausgeführt werden, Vorsicht mit den Schusswaffen. Dreißig Schuss scharfer Munition waren im Magazin. Da konnte es einem schon mulmig werden. Wir sollten ein Vergnügungslokal nach sich unangemessen benehmenden Soldaten absuchen, was völlig unsinnig war. Alle dort waren mehr oder weniger besoffen, und wir zwei stolperten hilflos zwischen den Tischen umher, wurden provoziert und wussten keine Antworten. Bei mir stieg die Wut auf die Armee. Plötzlich kam unser Oberleutnant ins Lokal und verlangte von einer in Zivil dasitzenden Person den Ausweis. Die beiden mussten sich irgendwie kennen, aber nicht mögen. Der Angesprochene sagte hochnäsig: „Einem Oberleutnant zeige ich keine Papiere."

Der OL wurde fuchsteufelswild, und als alles nichts half, schrie er uns an: „Packt ihn und rauf aufs Auto." Engelmann wusste gar nicht, was er machen sollte. Dagegen ließ ich meinem Zorn auf alles Militärische freien Lauf, packte den inzwischen als Hauptmann geouteten Kerl am Revers seines Sakkos, machte einen schönen Armhebel und führte den nun Tobenden aus dem Lokal. Draußen auf der Straße versuchte der sich loszumachen, ich packte noch energischer zu und ratsch, hatte ich das halbe Jackett in der Hand. Nun änderte ich die Grifftechnik und schmiss den sich Wehrenden mit Hilfe der anderen Streifengänger auf die Ladefläche des Lastautos. Dann wurde er weggefahren. Auf dem Gehweg hatten sich einige Zivilsten versammelt und ich hörte Worte wie: „Das ist ja wie bei den Nazis." Aber das war mir egal.

Kaum waren wir wieder in der Kaserne und im Bett, ging ein Alarm los. Die obligatorische große Übung stand an. Kaum geschlafen ging's ins Feld, eingraben, Kanone in Stellung bringen und all so'n Quatsch. Als der Kommandeur uns examinierte und Leidensgenosse Hölzer nach der praktischen Feuergeschwindigkeit der MPi gefragt wurde und in Verkennung der Frage „333 Meter pro Sekunde" antwortete, platzte dem Kommandeur der Kragen, zumal vorher ähnliche Fehler bei unserer Truppe sichtbar geworden waren, und er donnerte: „Oberleutnant Schäfer hauen Sie mit ihrer Gammeltruppe ab." Schäfer war im Zivilberuf Bäcker und hoffte, bei der Armee Karriere zu machen, er war überzogen ehrgeizig und somit sichtlich verärgert. „Wir machen jetzt einen Eilmarsch zur Kaserne, die Zeit wird gestoppt, der Letzte ist das Maß. Knöpft euch den Hosenschlitz auf, damit Luft an euren Sack kommt. Auf los geht's los." Nun zeigte sich nicht zum ersten Mal, wer von meinen Kommilitonen ein Arschloch war, denn einige rannten los, als ob der Leibhaftige hinter ihnen her war. Schorsch und ich waren die Letzten. Als Schäfer dies mitkriegte, ließ er sich zurückfallen, fragte, ob wir doch etwas schneller gehen könnten, und wollte uns im Windschatten mitziehen. Seine Stiefel klapperten auf dem Asphalt, er konnte unsere Schritte nicht hören und ich befahl Schorsch, mit mir weiter gemütlich zu laufen. Der Oberleutnant kochte.

Zur Strafe musste unsere ganze Truppe wieder zum Kartoffelschälen einrücken. Das war ja Prinzip, wenn Einzelne nicht so wollten wie der Vorgesetzte, wurde die ganze Truppe bestraft, und die konnte ja dann zu besonderen Erziehungsmaßnahmen greifen. Das Gute war nur, dass sich an mich keiner herantraute, ohne einen gebrochenen Arm oder so was Schönes zu riskieren.

Die Tage vergingen für mich überhaupt nicht, ich fühlte mich hilflos und völlig entrechtet. Zum Glück mussten wir nach zwei Wochen für die verbleibende Zeit zum Ernteeinsatz. Da gab es keinen spürbaren Drill und ich fühlte mich wieder einigermaßen als Mensch.

Eines Tages, wir waren mit der Strohernte beschäftigt, entdeckte Schorsch an einem Tümpel seltene Gelbbauchunken. Er konnte nicht widerstehen und fing zwei Exemplare, die er mit etwas feuchtem Moos in seinem Kochgeschirr unterbrachte. Für gute acht Tage mussten die Tiere dort ausharren.

Wir fuhren nach diesem Einsatz wieder in die Kaserne zur Verabschiedung ins zivile Leben. Da alles seine Ordnung haben musste, begutachtete der Kommandeur den Spaten des einen, die Kalaschnikow des anderen und, wie es der Zufall wollte, verlangte er von Schorsch das Essgeschirr zu sehen. Der war so verdattert, dass er wirklich zu seinem Topf gegriffen hätte. Ich konnte ihm gerade noch zuzischen, welche Nummer der meine hatte, den er dann auch vorzeigte. Es ist nicht auszumalen, was passiert wäre, hätte Schorsch sein Geschirr geöffnet und dem Offizier wären zwei Unken entgegengesprungen. Aber so war noch einmal alles gutgegangen, wir wurden entlassen, erhielten unseren Personalausweis zurück und fühlten uns wieder wie normale Menschen.

Das zweite Studienjahr verlangte dann noch größere Anstrengungen, um das Ziel, das Physikum, ordentlich zu bestehen. Dieser doch recht umfangreiche Prüfungskomplex war dann der Knackpunkt. Hatte man hier alles bestanden, warteten drei Jahre ohne Stress auf uns, das lustige Studentenleben konnte beginnen. Ich hatte mit ganz anständigen Noten bestanden, aber Schorsch war in Anatomie durchgefallen und musste die Prüfung Anfang des neuen Semesters wiederholen. Doch dazu kam es nicht mehr. Er war mit seiner Mutter zu Verwandten nach Hamburg gefahren, was im Juli 1961 noch möglich war, zwar nur mit einer guten Beurteilung des Seminargruppenleiters, aber es ging. Ich pflegte derweil bei ihm zu Hause seine Menagerie aus Gecko, zwei Grünen Leguanen, diversen Wasserschildkröten und einer Katze. Das machte ganz schön viel Arbeit, zumal ich meine drei riesigen Leguane auch zu versorgen hatte.

Wenn ich für längere Zeit von zu Hause weg war, war meine Mutter eine zuverlässige Betreuerin meiner Tiere. Für die Viecher von Schorsch musste nun, da ich für drei Wochen nach Prerow fahren wollte, eine Freundin von ihm die Arbeit übernehmen. Der Sommer in diesem Jahr war recht schön, viel Sonne und nur an wenigen Tagen der berüchtigte Prerowwind und -regen. Alles war wie in jedem Jahr, baden, in der Sonne liegen, abends am Lagerfeuer den Gitarrenklängen lauschen und hoffen, dass bei einem der schnuckligen braun gebrannten Mädels endlich die Balz zum Erfolg führen würde.

Es war der 13. 8. 1961. Völlig entgeistert kamen einige Berliner zu mir und erzählten etwas von einer unglaublichen Sache. Ostberlin sollte völlig vom Westen abgetrennt werden. Einige packten sofort ihre Sachen und düsten nach Hause, in der Hoffnung, noch ein Schlupfloch gen Westen zu finden. Andere warteten und glaubten, dass alles nicht so schlimm werden würde. Aber es wurde sogar noch schlimmer. Ab sofort durfte man sich nachts nicht mehr am Strand aufhalten, riesige Scheinwerfer leuchteten Strand und Wasser in regelmäßigen Abständen ab, damit ja keine Agenten vom Westen in den Osten einsickern. Aber der ganze Aufwand galt natürlich uns, damit wir nicht abhauen konnten. Das Chaos in meinem Kopf war perfekt. Zu allem Unglück erhielt ich nun noch die Nachricht, dass Schorsch mit seiner Mutter im Westen bleiben würde.

Ich hatte ein Berliner Mädel kennengelernt, aus Köpenick, bei dem ich nach dem Urlaub noch einige Tage und Nächte verbringen wollte. Die Fahrt mit der Bahn nach Berlin bedeutete für einen Nichtberliner eine Kontrolle im Zug, oft musste nach der Besichtigung des Personalausweises und der Frage nach dem Grund der Reise auch noch der Koffer geöffnet werden. Mir sträuben sich jetzt noch die Haare beim Gedanken daran, was gewesen wäre, hätte man da die zwei Drahtscheren gefunden, die ich zum Zerschneiden von Stacheldraht oder Ähnlichem mitgenommen hatte.

Die Tage in Berlin verliefen fast immer nach gleichem Muster. Tagsüber lief ich mit dem Bruder meiner Freundin kilometerweit an der Grenze entlang, immer in der Hoffnung, ein Schlupfloch zu finden. Und es gab sie noch, die Schlupflöcher, aber wir waren nie mutig genug, sie auch zu nutzen. Und so blieben mir nur einige nächtliche Schäferstunden und die Aussicht, für immer im Osten eingesperrt zu sein. Aber manchmal ist ja auch alles für irgendetwas gut. Ich hätte nie meine liebe Frau kennengelernt, wir hätten nie die unglaublichen Abenteuer und Erlebnisse gehabt, die ein Leben in einem totalitären Regime auf der Suche nach Nischen und Eigenständigkeit mit sich bringt. Natürlich ist manches auch ein Tanz auf der Rasierklinge gewesen, den besonders mein Freund Roland beherrscht hat. Aber dazu später.

Das Studium hatte wieder begonnen und alle Studenten mussten eine Erklärung unterschreiben, dass sie, wenn es erforderlich sei, sofort das Studium unterbrechen und das sozialistische Vaterland mit der Waffe in der Hand verteidigen würden. Natürlich unterschrieb auch ich. Aber mit welchen Gefühlen! Zu der Zeit wusste ja niemand, wie sich die politische Lage entwickeln würde.

Ich ging auf gut Glück zu einer Ärztin, einer Orthopädin, und klagte über meine Rückenschmerzen. Die waren wirklich vorhanden, aber nicht so dramatisch, wie ich es machte. Nach einer Röntgenkontrolle wurde mir mitgeteilt, dass eine Osteochondrose im Lendenwirbelbereich einen stationären Aufenthalt in einer Klinik im Gipsbett notwendig machte. Ich bekam eine Gipsschale angepasst und lag nun tagein tagaus in dieser schrecklichen Haltung, nein, sollte so liegen, aber nachts schob ich das Monster einfach zur Seite und rollte mich zusammen. So ging das drei Wochen. Nach der Entlassung, natürlich musste ich die Gipsschale zur weiteren Benutzung mitnehmen, bekam ich einen Termin bei einem Militärarzt, Oberleutnant, für Tauglichkeitsuntersuchungen zuständig. Dort, nach einer weiteren Röntgenuntersuchung, erhielt ich ein Schreiben, wonach ich „zurzeit wehruntauglich“ sei. Dieses Schreiben wanderte sofort zum Wehrkreiskommando und an die zuständigen Stellen der Uni. Nun konnte ich erst mal aufatmen, die Armee war in weite Ferne gerückt, und auch an den obligatorischen militärischen Ausbildungen in der Ferienzeit brauchte ich nie teilzunehmen. Ach, war das schön.

Später habe ich dann erfahren, dass der Sohn dieser lieben Ärztin über die Mauer geflüchtet war und sie jungen Leuten wie mir einen riesigen Gefallen tun wollte. Auch der Militärarzt war einer ihrer Freunde. Also großes Glück gehabt. Sogar zwanzig Jahre später haben mir Gipsbett und Untauglichkeitsbescheinigung noch Nutzen gebracht!

Über Schorsch gibt es nicht mehr viel zu berichten. Nachdem ich seine Tiere zu mir verfrachtet hatte, es sah in meinem Zimmer aus wie in einem Zoo, und als die wunderschöne Wohnung versiegelt wurde, verschwand auch er aus meinem Gesichtskreis, er schrieb keine Briefe mehr, und nur durch Zufall erfuhr ich viel später, dass er Tierarzt in München geworden war, aber einen Kontakt gab es nie.

Die Jahre vergingen. Das Studium ließ mir eine Menge Freizeit. Regelmäßig besuchte ich die sogenannten Klinikstunden, also Theorie und Praxis in einem. Hier konnte man eine Menge lernen, und es machte zudem auch noch Spaß. Zeitige Vorlesungen, die schon morgens um sieben oder acht losgingen, ignorierte ich, denn mein Leben hatte einen anderen Rhythmus bekommen. Dreimal pro Woche war intensives Judotraining angesagt, danach ging es regelmäßig in den Burgkeller oder in andere Lokalitäten auf der Suche nach weiblichen Reizen. Geld hatte ich wenig, einhundertvierzig Mark Stipendium im Monat mussten für alles reichen. Da ich nie Alkohol trank, waren die Besuche der Gaststätten auch nicht teuer, zu Hause konnte ich mietfrei wohnen und essen, und auch für ein Paar neue Ski hatte meine liebe Mutter ein offenes Ohr. Beim Judo lernte ich neue Freunde kennen, und diese Freundschaften hielten über viele Jahre. Besonders Jochen, mehrfacher DDR-Meister im Halbschwergewicht, war ein echter Kumpel, von dem ich besonders in sportlicher Hinsicht viel gelernt habe, bevor alles tragisch endete.

In den Sommerferien fuhren wir, Jochen, Martin und ich, regelmäßig nach Prerow und schlugen unser Zelt in den Dünen auf. Hatten wir keinen Zeltschein, flüchteten wir, nachdem die Warnung vor einer Kontrolle sich wie ein Buschfeuer verbreitete, in den angrenzenden Wald. Mit einer Zeltgenehmigung war das Camperleben zwar nicht mehr ganz so aufregend, aber wir konnten uns ohne Angst unserem gemütlichen Frühstück widmen. Dies bestand meist aus Haferflocken, die mit kalter Milch angerührt wurden, einem Stück rohen Weißkohls, manchmal auch Zwiebackbruch, der besonders preiswert war. Viel anders sahen die übrigen Mahlzeiten auch nicht aus, und so purzelten unsere schon kaum vorhandenen Pfunde. Mit viel Volleyballspielen und Schwimmen verschwanden auch die letzten Fettreste, und die braugebrannten Körper wurden ein Blickfang für die Mädels der Umgebung.

Eines Nachmittags, wir hatten uns zum Sonnen, besser gesagt zum Braten unserer Haut, von Krebs redete man zu dieser Zeit überhaupt nicht, in die Sandburg gelegt, meinte Martin, in der Nachbarburg liege eine süße kleine Maus, die ihm so recht gefallen würde. Martin war zwar ein guter Judoka, der sogar einmal, als das noch möglich war, den gesamtdeutschen Meister im Leichtgewicht erringen konnte, aber eben im Leichtgewicht, was auch auf eine nicht zu tolle Körpergröße schließen lässt. Natürlich schauten wir auch über unseren Sandrand, und wirklich, er hatte ein Mädel mit langem dunklen Haar und braun gebranntem Körper entdeckt, bei dessen Anblick es einem schon anders werden konnte. Als bekennender Egoist in solchen Dingen ignorierte ich Martins entflammte Gefühle und begann meinerseits mit der Balz.

Es wurden schöne Tage, sie hieß Regina, 18 Jahre alt, und war mit ihrer Schwester und deren Mann in einem großen Zelt, wir nannten es das Zirkuszelt, für drei Wochen hier. Ihre Schwester sagte eines Tages zu Regina, ich sehe doch so verhungert aus, und sie hätten für zwei Tage Gulasch gekocht, es würde für mich ein Teller davon abfallen. Ich nahm die Einladung gerne an, lernte dabei meinen zukünftigen Schwager und meine Schwägerin kennen und setzte mich mit knurrendem Magen an den Campingtisch. Als Christa, die Schwester, mir einen Teller hinschob, sagte ich, sie bräuchte sich keine Mühe machen, ich würde gleich aus dem Topf essen. Alle außer mir waren völlig verdattert und sprachen kein Wort, also nahm ich mir den Topf, der noch gut gefüllt war, da das Essen ja auch noch für den nächsten Tag reichen sollte, was ich aber nicht wissen konnte, und löffelte so lange, bis der Topf leer war. Ich war so satt und zufrieden, dass ich die komisch dreinschauenden Gesichter überhaupt nicht wahrnahm. So habe ich mich in diese Familie eingeführt, und trotzdem wurde ich später geheiratet.

An einem herrlichen Sonnentag, wir waren gerade vom Schwimmen aus dem Wasser gekommen, hörten wir die empörten Rufe anderer Camper: „Da, in den Dünen versteckt, lauert ein Mann und fotografiert unsere nackten Mädels." Am FKK-Strand war es ein ungeschriebenes Gesetz, dass sogenannte „Gaffer" ihre Kleidung auszuziehen hatten oder sofort verschwinden mussten und fotografierende Gaffer den geballten Zorn der Nackten zu spüren bekamen. Da der Knipser offensichtlich auch meine Regina im Visier hatte, sprang ich blitzschnell zu ihm in sein Versteck und verlangte den Fotoapparat, um den Film unbrauchbar zu machen. In seiner Hektik schlug der Mann die Kamera gegen einen Ast, sodass die Verriegelung nicht aufzubekommen war. Wütend entriss ich ihm das Teil, schmiss es in den Sand und hackte es mit einem Campingspaten in zwei Teile. So waren nicht nur der Film, sondern auch die zweiäugige Rollei nur noch Schrott. Der Kerl trollte sich mit seinem nun einäugig gewordenen Apparat davon und wurde nie wieder gesehen.

Der Sommer verging viel zu schnell. Mitte September war wieder einmal ein Ernteeinsatz fällig. Das ging jedes Jahr so, immer vor Semesterbeginn mussten die Studenten für einige Wochen aufs Land, meistens nach Mecklenburg, um in einer Landwirtschaftlichen Produktionsgenossenschaft, kurz LPG, bei der Ernte zu helfen. An und für sich war dies keine schlechte Sache, die jungen Leute, zumal wenn sie aus der Stadt kamen, lernten, dass die Lebensmittel doch mit einem nicht unerheblichen körperlichen Aufwand produziert werden mussten. Und manch einem verwöhnten Muttersöhnchen tat die Arbeit ganz gut. Ausgenommen mir. Ich hasste es. Also kamen meine Beschwerden im Wirbelsäulenbereich wieder einmal als rettender Engel daher. Nach vier, fünf Tagen trat ich die Heimreise an, holte mir bei einem Arzt ein Attest und konnte nun über die Tage bis Semesterbeginn frei verfügen.

In der Leipziger Innenstadt wurde gerade ein Kinderfilm gedreht, „Daniel und der Weltmeister". Ein Junge, der seine Milch nicht trinken wollte, kam mit dem Straßenweltmeister „Täve" Schur ins Gespräch, der ihm sinngemäß sagte, er sei nur durch Milchtrinken und Ähnliches so fit geworden. Ich kann nicht sagen, ob das der richtige Inhalt des Filmes ist, da ich ihn nie gesehen habe, aber so muss es etwa gewesen sein. Kurzum, für die Zuschauer beim Zieleinlauf, die Grimmaische Straße wurde als solcher umfunktioniert, brauchte der Produzent jede Menge Statisten. Für einige Stunden Rumstehen bekam jeder fünfzehn Mark. Da es auch Szenen im Regen geben sollte, waren Leute mit einem Regenschirm gefragt, diese erhielten fünfundzwanzig Mark.

Vor Drehbeginn standen wir in einer langen Schlange und erhielten eine Marke, blau für ohne Schirm, rot für mit Schirm. Nach Drehschluss wurde dann das Geld ausgezahlt. Bevor alles losging, sprach ich auf der Straße irgendwelche Frauen an, ob sie beim Film mitmachen wollten. Fast alle sagten Nein, sie müssten zur Arbeit oder so. Ich beschwatzte aber doch ein, zwei Mädels, meinen Schirm zu nehmen und zu dem Herrn im karierten Sakko zu gehen und sich eine Marke zu holen, die sie mir dann überlassen sollten. Abends musste ich beim Geldabholen nur höllisch aufpassen, damit mein Geschäft nicht aufflog. Ich engagierte dazu wieder fremde Damen, die dann fürs Abholen des Geldes fünf Mark bekamen. Denn die vielen Gesichter konnte sich keiner der Offiziellen merken.

Das ging so zwei Tage, als plötzlich einer von uns verkündete, es würde noch ein Film in Leipzig gedreht, und dort suchten sie auch Statisten zu wesentlich besseren Konditionen. Also dann nichts wie hin. In einem Messehaus sollte das Casting, dieses Wort war damals völlig unbekannt, stattfinden. Ich saß mit einer Menge anderer Leute auf Stühlen und wartete. Neben mir ein junges Paar, sie stellten sich als Ingrid und Bernd Hertel vor. Er war Student an der Hochschule für Malerei und Grafik, sie arbeitete als medizinisch-technische Assistentin in einem Labor. Der Produktionsleiter des Filmes erläuterte kurz, um was es ging. Es sollte ein Spionagethriller werden im Spannungsfeld der Ost-West-Beziehungen mit dem Titel: „For Eyes Only". Einige der

Anwesenden wurden sofort ausgemustert. Als wir drei an der Reihe waren, fragte er nur kurz, ob wir Raucher wären. Wir verneinten und dachten schon, er wollte nur rauchende Statisten einstellen. Aber das Gegenteil war der Fall. Wir waren im Team.

Als Erstes wurde ich eingekleidet. Aus mir und einer Menge anderer Jungs wurden waschechte US-Boys, GIs, und wir übten auf vier Jeeps das Auf- und Absitzen, um möglichst authentisch die lässigen Kameraden von der anderen Seite darzustellen. Worum ging es? Ein DDR-Spion hatte geheimes Material im Westen geklaut und war nun auf der Flucht Richtung Osten. Wir, die Amis, sollten eine Straßenkreuzung sperren, um den Flüchtenden aufzuhalten. Auserkoren für dieses Spektakel war der Waldplatz in Leipzig, eine Kreuzung mit hohen, alten Häusern, Straßenbahnschienen, knorrigen Bäumen. Alles war noch ein bissel auf West zurechtgemacht, und wir blockierten genau nach Drehbuch die gesamte Kreuzung, was natürlich zu einem völligen Verkehrskollaps in diesem Bereich führte, zumal die Dreharbeiten sich über mehrere Stunden hinzogen. Aber für uns war es ein Riesenspaß, der auch noch etwas Geld einbrachte.

Einen Lachanfall bekam ich einige Tage später, als ein Kommilitone mir ernsthaft erzählte, am Waldplatz hätten sich einige Jeeps mit GIs verfahren, wahrscheinlich den Transitweg nicht gefunden, und sämtlicher Verkehr wäre in diesem Bereich zum Erliegen gekommen, aber toll hätte es ausgesehen, wie die Boys lässig auf ihren Jeeps saßen, die Beine baumeln ließen und Kaugummi kauten. „Toll“, sagte ich, „und ich war auch einer von denen.“

Die Dreharbeiten zogen sich über mehrere Tage hin, nicht die mit den Jeeps, die waren abgeschlossen, aber ich wurde noch an anderen Stellen eingesetzt, meist als Passant, und war natürlich im fertigen Film nur mit Mühe zu erkennen, sicher überhaupt nicht, wenn ich nicht eine auffallende Hose angehabt hätte, die meine Schwester aus dem Westen geschickt hatte. Für Hertels Frau gab es ein Problem. Sie war ja fest angestellt und konnte nicht einfach wie wir Studenten den Tag nach eigenem Plan gestalten. Sie hatte Dienst an den folgenden Tagen und das Aus ihrer Karriere als Statistin war vorprogrammiert. Frech, wie ich war, ließ ich mir die Telefonnummer ihres Chefs geben, wir zwängten uns alle drei in eine Telefonzelle und ich rief dort an. Der Laborleiter war auch zu sprechen, und ich gab mir Mühe, meinen sächsischen Slang in der Stimme zu unterdrücken und sagte bestimmend:

„Hier ist Dr. Gericke von der DEFA (den Namen hatte ich beim Pferderennen im Leipziger Scheibenholz gehört, es war der Name des Präsidenten des DDR-Turfclubs), ich benötige die Frau Hertel unbedingt für Anschlussaufnahmen in den nächsten Tagen und bitte um Freistellung von der Arbeit."

Ingrids Chef war relativ sprachlos und stotterte nur, alles würde in Ordnung gehen. Wir legten auf und bekamen erst einmal einen Lachanfall. So konnte der Film ein voller Erfolg werden, Hertels haben wir in der Endfassung aber nie zu Gesicht bekommen.

Als ich eines Tages mit dem Fahrrad zur Tierklinik fuhr und nichts ahnend dort ankam, wunderte ich mich über meine mich doch recht seltsam anguckenden Kommilitonen. Dann sagte einer „Na, du Schwarzschlips ...", und ich konnte mir keinen vernünftigen Reim darauf machen. Bis mir einer die neueste Ausgabe der Studentenzeitung „Forum" unter die Nase hielt. Riesengroß ein Bild von mir im Regenmantel, sprich „Natoplane". Das waren die ultraleichten Nylonmäntel aus dem Westen, die sich jeder, der es konnte, auf die eine oder andere Art beschaffte, denn sie sahen toll aus, hielten so leidlich den Regen ab und waren, da eine Innengummierung das Ganze wasserdicht machen sollte, wahnsinnig warm im Sommer. Aber jeder, der so ein Ding hatte, war stolz darauf. Ich hatte immer extrem kurz geschnittenes Haar, ganz dunkel, und der Text neben meinem Bild bestätigte den visuellen Eindruck. Erik Neutzschs Roman „Spur der Steine" wurde als Vorabdruck in dieser Zeitung präsentiert, und da stand Folgendes: „Ich kannte mal einen in meinem langen Wanderleben ... Frisch aus dem Kittchen kam er, hatte die Haare noch geschoren. Eingesperrt hatten sie ihn, weil er ein alter Zunftbruder war und den Schwarzschlipsen angehörte." Ein Fotograf aus Leipzig hatte bei meinen Auftritten beim Film Fotos geschossen, ohne mich zu fragen, und das besagte an die Zeitung verkauft. Er hatte das Geld und ich den Spott.

Das Studium hatte mich wieder. Die klinischen Fächer machten auch richtig Spaß und mir war klar, dass es für mich nie etwas anderes geben konnte, als Tierarzt zu werden. Wir hatten Mikrobiologiekurs und übten uns im Anfärben von Bakterienausstrichen und deren Differenzierung. In der Pause kam mein Freund Jochen übers Klinikgelände geschlurft und brachte mir einen Objektträger mit einem Ausstrich aus seiner Harnröhre. Puh, Jochen hatte wieder einmal bei seinen amourösen Abenteuern nicht aufgepasst und wollte nun Sicherheit darüber haben, was der unnatürliche Ausfluss zu bedeuten hatte. Zu einem Arzt zu gehen war ihm suspekt, da man schnell in eine Kartei der häufig Infizierten gelangen konnte und allerlei Unannehmlichkeiten bekam. Also musste ich ran, nahm den Ausstrich in Empfang und machte im Kurs die entsprechende Färbung. Zur Sicherheit fragte ich die uns beaufsichtigende Assistentin mit unschuldiger Miene, ob sie mal mein Präparat begutachten würde und ob dies Gonokokken sein könnten. Verdutzt schaute sie durch mein Mikroskop und bestätigte den Verdacht. Ich weiß bis heute nicht, ob sie mich als infizierte Person betrachtet hat. Jochen wartete geduldig, bis die Stunde vorüber war, und musste nun die niederschmetternde Diagnose in Empfang nehmen. Was war zu tun? Da er auf keinem Fall zu einem Arzt wollte, blieb nur meine Hilfe. Ich besorgte eine Ampulle öliges, hoch dosiertes Penicillin, wie wir es beim Rotlauf der Schweine verwendeten, daneben noch eine Tube Mamycin, was beim Trockenstellen der Milchkühe zum Einsatz kam, und da eine Zitze der Kuh so ähnlich aussah wie Jochens bestes Stück, empfahl ich das Einspritzen in Selbiges. Gleichzeitig sollte er sich das ölige Zeug in die Pobacke spritzen, was höllisch wehtat, aber eine gewisse Strafe musste ja auch sein. Gott sei Dank hatte alles wunderbar geholfen, über Penicillinallergien und Ähnliches hatten wir bis dato noch nichts gehört. Im Nachhinein sträuben sich mir die Nackenhaare beim Gedanken, was alles hätte passieren können.

Es wurde Frühjahr, die Sonne verwöhnte uns, aber das trockene Wetter war überhaupt nicht im Sinne der Landwirte. Und wie ein Blitz aus heiterem Himmel brach die Maul- und Klauenseuche bei Rindern und Schweinen aus. Auf die Bauern kamen schwere Zeiten zu, denn die Bestände wurden für einige Wochen gesperrt, es konnte keine Milch abgeliefert und kein Tier geschlachtet werden. Wir Studenten zogen in den Kampf gegen die MKS. Zugegeben, die Sperrmaßnahmen waren noch nicht so restriktiv wie in den späteren Jahren, aber jeder von uns wurde in einem befallenen Dorf stationiert und hatte die angewiesenen Maßnahmen zu überwachen und alle drei Tage beim zuständigen Kreistierarzt zum Bericht zu erscheinen.

Ich war in Fuchshain untergebracht, nicht allzu weit von Leipzig entfernt, und kontrollierte täglich die Tierbestände der Bauern. Ein Landwirt hatte ein besonders schönes Pferd, Sattel und Zaumzeug hingen neben der Stalltür, genauso wie im Schlager: „Es hängt ein Pferdehalfter an der Wand …" Vom Reiten hatte ich zwar keine richtige Ahnung, aber Lust verspürte ich schon. Und der Bauer freute sich, dass sein Tier endlich wieder mal Bewegung bekam. So galoppierte ich jeden Nachmittag über die Felder, besuchte meinen Freund Martin Pufe im Nachbardorf und hatte viel Spaß. Runtergefallen bin ich nicht ein einziges Mal, obwohl meine Haltung nicht der eines guten Reiters entsprach, sondern eher aussah wie die eines besoffenen Cowboys.

Nach vierzehn Tagen wurde ich dann in eine andere Gegend abkommandiert, nach Polditz in der Nähe von Leisnig. Dort wohnte ich bei einer älteren Frau in einem spartanischen Zimmer, es gab nur kaltes Wasser zum Waschen, keine Dusche, abends nur Fernsehen mit der alten Dame bei einem Fernsehbild, bei dem die Unterscheidung zwischen einem Pferd und einem Fuchs nur schwer möglich war. Hier musste ich täglich von einem Dorf zum anderen über die Landstraßen wandern und beim jeweiligen Bürgermeister die aktuelle Lage betreffs der Seuche erkunden.

Eines Tages erhielt ich eine Nachricht aus Leipzig, ich solle für die Uni an der Studentenmeisterschaft im Judo in Berlin teilnehmen. Ich rief sofort beim für mich zuständigen Kreistierarzt an, um meine Freistellung für diese Tage zu bekommen. Der KTA mochte aus mir unbekannten Gründen keine sportlichen Tierärzte, besonders, wenn sie noch Studenten waren, und versagte mir eine Teilnahme an den Meisterschaften. Ich verständigte daraufhin die verantwortlichen Leute an der Uni, die sofort über den Bezirkstierarzt meine Freistellung forderten. Dieser setzte sich noch zur selbigen Stunde mit meinem Chef in Verbindung und befahl ihm, sich persönlich darum zu kümmern, damit ich rechtzeitig in Leipzig eintreffen konnte. Alles lief nun nach Plan, aber ich hatte einen neuen „Freund fürs Leben“ gewonnen.

Nachdem wir den zweiten Platz bei den Meisterschaften in Berlin errungen hatten, ich verlor als Einziger den entscheidenden Kampf im Schwergewicht, ging es wieder zurück aufs Land. Es waren frustrierende Tage, aber ein Gutes hatte das Ganze. Ich erkundigte mich nach den ansässigen Tierärzten und entschied mich, bei Dr. Barth in Fischendorf anzurufen, um mich mal vorzustellen. Eifrige Studenten wie Martin Pufe hatten „ihren“ Tierarzt, bei dem sie allerhand praktische Dinge lernen konnten und auch bei bestimmten Impfungen etwas Geld verdienten. So etwas schwebte mir auch vor. Also machte ich einen Termin und stellte mich bei Dr. Barth vor. Ein Haus hatte der, groß, an einem Hang gelegen, extra Garagen mit Einliegerwohnung für die Haushaltshilfe. Es war schon beeindruckend. Und er führte eine Privatpraxis! Ich wurde freundlich empfangen und konnte nach einem langen Gespräch die Zusage erhalten, in Zukunft sowohl meine obligatorischen Praktika und auch meine Wochenenden, soweit der Chef Dienst hatte, dort zu verbringen. Ich war glücklich.

Einen Haken hatte aber das Ganze, wenngleich nur einen kleinen. Luzie, die alles organisierende Frau, und Walther Barth hatten drei Töchter, und alle waren verheiratet mit einem Tierarzt. Zwei davon mit eigener Praxis, der dritte war Assistent an der Tierklinik in Leipzig und an Wochenenden oft bei seinen Schwiegereltern, um in der umfangreichen Praxis auszuhelfen, was natürlich meine Chancen auf eine lukrative Einnahmequelle stark verminderte. Da Geld nicht alles ist (was natürlich völliger Quatsch ist), gab ich mich mit meiner Rolle zufrieden und möchte die Jahre in der Familie Barth nicht missen, so viel praktische Erfahrung kann man an der Uni einfach nicht vermitteln. Es gab Wochenenden, an denen ich mit ungeheurem Einsatz eine für mich nicht unbedeutende Menge Geld verdienen konnte. Das war zum Beispiel bei der alljährlichen Pflichtimpfung der Schweine gegen Rotlauf der Fall. In den Sechzigerjahren hatten noch viele Dorfbewohner ihr eigenes Schwein, manchmal auch mehrere, die fleißig die Küchenabfälle verputzten, um im Dezember, schön fett geworden, als Brotaufstrich und Sonntagsbraten zu enden. Das Impfen dieser Kleinbestände war recht mühselig, keiner machte es gerne, und so kam ein Helfer wie ich gerade recht. Ich lief alles zu Fuß! Frau Barth karrte mich mit dem Auto und zwei großen Taschen voller Flaschen mit Impfstoff in ein Dorf, gab mir eine Liste mit den Namen der Schweineleute und überließ alles Weitere meinem Organisationstalent. Meist griff ich mir einen ortskundigen Jungen, dem ich einige Mark versprach, wenn er mich zu den Namen auf der Liste führen würde. Und so lief ich von einer Tür zur anderen, impfte die Säue, lief oft mehrere Kilometer zum nächsten Dorf und hatte dann gegen Mittag schon eine Menge der Namen abgearbeitet. Irgendwo im Nirgendwo gabelte mich dann Frau Barth auf, um mir den nötigen Nachschub an Impfstoff zu bringen. Am späten Abend hatte ich dann mein Tagespensum geschafft, und am kommenden Tag ging das Gleiche von vorn los.

An einem solchen Abend bin ich das erste Mal in meinem Leben umgefallen, aber nur kurzzeitig. Ich hatte an dem Wochenende dreihundert Mark verdient, bei zwanzig Pfennig pro Schwein kann sich jeder ausrechnen, wie viele Schweine es waren, denen ich eine Spritze verpasst hatte.

Ein halbes Jahr Examensprüfungen. Das wurde eine harte Zeit, ich ging nicht mehr zum Judotraining, aus Angst, eine größere Verletzung könnte meine Prüfungen in Gefahr bringen. Und ich lernte fast jeden Tag zehn Stunden lang. Ein guter Abschluss sagt zwar nie etwas über die spätere Entwicklung im Beruf aus, aber ich wollte auf keinen Fall in einem Fach durchfallen oder schlechte Noten bekommen. Also war nun büffeln angesagt. Doch einmal hätte es mich um ein Haar erwischt. Es war ein extrem heißer Tag im Juli, Parasitologie stand auf dem Plan. Vier Studenten bildeten eine Prüfungsgruppe während des gesamten Examens. Wir trafen uns, wie immer zu solch einem Anlass, im schwarzen Anzug und weißen Hemd mit Schlips und schwitzten schon, bevor die Prüfung überhaupt begonnen hatte.

Nun muss gesagt werden, dass der Lehrstuhlinhaber einer der unangenehmsten Prüfer war, Generationen vor uns erzählten schon die schlimmsten Geschichten über seine Methoden, und so etwas brennt sich natürlich in das Gedächtnis eines jeden Prüflings ein.

Es ging los. Als Erstes bekam jeder ein Präparat zur Identifizierung, der eine eine Fliege, die anderen auch irgendeinen Parasiten, ich einen Objektträger mit in einer Flüssigkeit schwimmenden Wurmeiern, die ich nun einer der vielen in Betracht kommenden Wurmarten zuordnen sollte. Der Schweiß rann an mir herunter, zumal ich noch einen blöden Platz am Fenster in praller Sonne erwischt hatte. Und die verdammten Wurmeier konnte ich auch nicht richtig erkennen, waren es nun die beschalten Bandwurmeier oder doch die eines anderen Vieches? Ich entschied mich einfach für irgendetwas, heute weiß ich es nicht mehr genau. Der Professor stutze, ließ sich mein Präparat zeigen, guckte durchs Mikroskop und sagte mit der ihm eigenen, für jeden Hitchcock-Thriller zur Synchronisation geeigneten Fistelstimme:

„Hi, hi, hi, der hat die (die Wurmeier) ja alle verschwinden lassen."

Und in der Tat, durch die erbarmungslose Sonne auf meinem Objekt war die Flüssigkeit eingetrocknet und die Eier waren unsichtbar geworden. Er wusste natürlich, was vorher zu sehen gewesen war, und meine Antwort war falsch. Das ging gut los, mein Kopf wurde immer leerer, meine Antworten immer konfuser. Als ich dann einen Zönurus, das Entwicklungsstadium eines Hundebandwurms, der beim Schaf die gefürchtete Drehwurmkrankheit auslöst, zeichnen musste, war er ganz aus dem Häuschen:

„Bitte noch Ihr Autogramm auf das Papier, mein kleiner Sohn kann es sich vielleicht übers Bett hängen."

Dann fuhr er fort: „Und wie bekämpfen Sie denn nun diesen Parasiten?"

Ich antwortete völlig richtig: „Mit Arecolinum hydrobromicum, einprozentig, einige Milliliter pro Kilogramm Körpergewicht." So genau weiß ich's heute nicht mehr, zumal es jetzt völlig andere Medikamente dagegen gibt.

„Und wie geben Sie es denn nun dem Tier?"

„Mit einer Janetspritze", war meine Antwort. Eine solche Spritze ist natürlich für die kleine Menge Flüssigkeit viel zu groß, jeder andere Prüfer hätte hier gesagt: „Also, Herr Kollege, überlegen Sie mal, zehn Milliliter in einer Spritze mit zweihundert Milliliter Fassungsvermögen?" Und da hätte jeder halbwegs normale Mensch geantwortet: „Ach nein, Verzeihung, ich gebe es in einer entsprechend kleineren Spritze ins Maul des Tieres." Aber mein Prüfer fistelte nur in den höchsten Tönen: „Er nimmt 'ne Janetspritze, hi, hi, hi …"

Ich dachte nun, man könne es nicht oral geben, sondern völlig abwegig vielleicht rektal? Keine Hilfe, nur Gemeinheiten, und da machte es Klick in meinem Kopf, ich hasste ihn nur noch und wurde ganz ruhig, kein Schwitzen mehr, kalte Wut und nur noch richtige Antworten. Die Prüfung gerade noch bestanden, düste ich am kommenden Tag für zehn Tage nach Prerow und erholte mich von diesem Stress in den Armen meiner süßen braun gebrannten Regina, bevor als Nächstes die gefürchtete Pathologie anstand. Aber alles ging glatt über die Bühne.

Lustig war auch die Prüfung in Pharmakologie. Diese war in verschiedene Einzelprüfungen aufgeteilt, eine davon betreute der Oberassistent Dr. Richter. Diesem hatte ich etwa sechs Wochen vor der Prüfung meine drei Grünen Leguane samt Terrarium verkauft. Er war darüber recht glücklich, im Gegensatz zu mir, denn ich hing sehr an diesen Tieren. Aber das Ende meiner Zeit in der Wohnung meiner Eltern stand unmittelbar bevor, und so war dies die beste Lösung. Richter wollte sich in der Prüfung etwas revanchieren und hatte auf einen der Zettel, die zwischen mir und meinem Prüfungspartner Roland Schwarze gezogen werden mussten, „Biss durch eine Kreuzotter" geschrieben. Es kam, wie es kommen musste, Roland zog den falschen Zettel und starrte entgeistert auf die Frage. Er hatte sicher schon mal davon gehört, dass es irgendwo Kreuzottern gibt, aber was man bei einem Biss bei Hund, Katze, Pferd und Rind so machen muss, davon hatte er nicht die geringste Ahnung. Heimlich die Fragen zu tauschen ging auch nicht, und so konnte ich ihm nur in unbeobachteten Augenblicken einige Antworten zuzischen. Und ich hätte so gerne alles selbst erzählt.

Inzwischen war es Winter geworden, und im neuen Jahr sollte dann der Einstieg ins Berufsleben beginnen. Bevor wir ganz von der Leine und auf unsere Patienten losgelassen wurden, musste noch ein Assistentenjahr absolviert werden. Das gliederte sich in drei Abschnitte, einem Vierteljahr bei einer Institution wie dem Tiergesundheitsamt, die gleiche Zeit auf einem Schlachthof in der Fleischbeschau und sechs Monate bei einem als Lehrtierarzt zugelassenen Praktiker. Erst dann wurde die Approbation erteilt.

Begonnen habe ich beim TGA, Rindergesundheitsdienst. Soweit ich mich erinnere, war Dienstbeginn acht Uhr, und ich gab mir Mühe, pünktlich bei meinem Arbeitgeber zu erscheinen. Der Chef, Dr. Kalms, war noch nicht eingetroffen, und so stellte ich mich bei den netten „Labormäusen“ vor und wartete geduldig auf sein Erscheinen. Die Tür ging auf, ein auf den ersten Blick sympathischer Mann trat ein und ich sprang auf und sagte: „Guten Morgen, Werner.“ Dessen Gesichtszüge entgleisten förmlich, und er zog sich ins Nachbarzimmer zurück mit einem Ausdruck wie: „Woher kennen wir uns und wieso nennt er mich Werner?“ Die Labormäuse kicherten verhalten und klärten mich flugs auf. Der Chef hieß mit dem Vornamen Werner und er konnte natürlich nicht wissen, dass dies mein Name war, mit dem ich mich vorstellen wollte. Aber dann wurden es schöne Monate der Zusammenarbeit.

Zu dieser Zeit war die Landwirtschaft noch weit entfernt von Massentierhaltung, die Umwandlung der einzelbäuerlichen Betriebe zu Landwirtschaftlichen Produktionsgenossenschaften, LPGs, war zwar abgeschlossen, aber die Mehrzahl der Bauern hatte sich vorerst für die Form der Typ 1-LPG entschieden. Die Viehwirtschaft blieb privat, nur die Felder wurden gemeinsam bestellt und abgerechnet. Es gab also eine Unmenge kleiner Ställe, und in der Rinderwirtschaft steckte die künstliche Besamung noch in den Kinderschuhen. Der Rindergesundheitsdienst hatte unter anderem die Aufgabe, die Besamungsbullen in den Dörfern zu untersuchen und deren Gesundheit zu überwachen. Das waren für mich immer interessante Fahrten mit Dr. Frenzel, bei denen wir auch in Gebiete kamen, von denen ich bisher noch nie etwas gehört und gesehen hatte.

Wir hatten einen Fahrer, der uns im blauen Wartburg durch die Gegend kutschierte. Dieser Mensch hatte die unangenehme Angewohnheit, Leute, die nicht sichtbar über ihm standen, zu duzen. Zu mir sagte er mal kurz vor einer Dienstfahrt „Kollege Werner“. Ich tat erstaunt und fragte zurück, ob er wohl auch Tierarzt sei, von wegen des Kollegen. Er sagte es nie wieder und ich hatte einen neuen „Freund fürs Leben“ gewonnen.

Im Winter nach Jückelberg. Kaum geräumte Straßen zwischen den Dörfern, öde anmutende Landschaften und eine LPG Typ 3, deren Kühe vor Hunger kaum aus den Augen gucken konnten. Entsetzlich. Auch nach Langenleuba-Niederhain kamen wir in dieser Zeit. Viel besser als in Jückelberg sah es auch hier nicht aus und mein Eindruck sagte mir, hier würdest du nie hin wollen. Die Gegend um Leisnig bei Dr. Barth war da schon eine andere, auch die Betriebe waren dort besser in Schuss. Aber wie das Leben so spielt, nach Beendigung des Assistentenjahres war ich plötzlich in Niederhain! Jückelberg gehörte über Jahrzehnte auch zu meinem Praxisgebiet. Und ich bin noch heute hier. Bereut habe ich es nur an wenigen Tagen.

1966: Ich hatte kaum den Dienst in meiner Staatspraxis begonnen, da brach die Maul- und Klauenseuche im Norden der DDR aus. Der Bekämpfung wurde jetzt größte Priorität eingeräumt. Alle verfügbaren und abkömmlichen Tierärzte mussten für eine unbestimmte Zeit als Seuchenkommissare in den entsprechenden Gebieten arbeiten. Es entstanden Sperrgebiete, die so gut wie möglich von der Außenwelt isoliert wurden. Dorthin musste dann ein Tierarzt, um die Seuchenbekämpfung zu organisieren und zu überwachen. Niemand durfte hinein oder heraus, außer bei Notfällen. Die Sperren an den Straßen waren Tag und Nacht besetzt, notwendige Transporte wurden mit Natronlauge desinfiziert. Alles in allem ein riesiger Aufwand.

Ich wurde zusammen mit Pufe, Hörügel und Richter und anderen, mir unbekannten Kollegen nach Demmin in Mecklenburg geschickt. Dort hatten wir fürs Erste in der Jugendherberge im alten Torbogen der Stadt Quartier bezogen, bevor es am folgenden Tag Ernst werden sollte. Der zuständige Chef, Dr. Bauer, ein älterer, erfahrener Kreistierarzt, hatte für den ersten Tag unseres Einsatzes Kontrollen der Schutzzonen, also Gebiete um die Sperrzonen, vorgesehen, bevor er uns dann in die Sperrgebiete aufteilen wollte. Ich fuhr in den mir zugewiesenen Bereich, ging zur Polizeistation und machte mit dem ortskundigen Sheriff meine Fahrt durch alle Dörfer, die auf meiner Liste standen, und schaute, ob die Maßnahmen wie Einsperren des Geflügels eingehalten wurden. Das wurden sie natürlich nicht überall. Und so ließ ich meinen Wachtmeister Strafquittungen ausstellen und kassierte je nach Anzahl der freilaufenden Hühner, Gänse oder Enten fleißig ab. Die Leute waren natürlich wütend, aber ich war ja auch nicht gerade erfreut darüber, meine Zeit in Mecklenburg verbringen zu müssen. Am Abend, bei der Auswertung der Kontrollen, hatten die anderen 14 Kollegen als Ergebnis nur Ermahnungen, Androhung von Strafen und einer einmal 5 Mark Strafe als Ergebnis vorzuweisen. Dann kam ich an die Reihe, zog 212 Mark und die entsprechenden Quittungen hervor und stieß auf ein erstauntes Augenzucken von Bauer.

Alle Kollegen erhielten nun einen Ort zugewiesen, an dem sie am kommenden Tag als Sperrgebietstierärzte ihren Dienst aufzunehmen hatten. Nur ich blieb zur besonderen Verwendung in der Zentrale in Demmin. Ich musste nun die Sperrbezirke kontrollieren, Abschlussuntersuchungen vornehmen nach Erlöschen der MKS und natürlich jeden Abend zum Rapport erscheinen. Ich wohnte weiterhin im Stadttor, hatte ein eigenes Zimmer und konnte mir meine Arbeit ganz gut einteilen. Hörügel war in Alt-Kentzlin, Martin Pufe in Meesiger am Kummerower See eingesetzt. Ich gestaltete meine Kontrolltouren nach Möglichkeit immer so, dass ich zum Schluss entweder bei Klaus Hörügel oder bei Martin ankam.

In Alt-Kentzlin war mein Anlaufpunkt die Praxis von Fräulein Dr. Wagner. Sie hatte ein neues Haus und einen Flügel im Wohnzimmer, auf dem sie manchmal abends mit Hörügel, der sich zwecks fachlicher Aussprache auch dort einzufinden hatte, vierhändig spielte. Ich brachte von ihrer Mutter aus Demmin immer irgendetwas mit, was gebraucht wurde, auch mal eine Flasche Sekt, die wir dann abends zu dritt leerten.

Eines Morgens, ich habe mich auch ab und an dort zum Frühstück eingeladen, stand ich vor der Tür, barfuß mit Holzlatschen, in einer kurzen Lederhose, braun gebrannt. Die Hausherrin öffnete die Tür und zeigte ein anderes Verhalten als sonst. Irgendwie gehemmt. Die Erklärung kam die Treppe im Haus herunter in Gestalt eines etwa vierzigjährigen Mannes, der sich als Dr. Moosbach vorstellte und offensichtlich der Freund, später Ehemann, von ihr war. Er schaute mich etwas verdrießlich an, aber ich schwöre beim Leben meiner Alligator-Schnappschildkröte, dass ich nur dienstlich mit seiner Freundin verkehrt habe. Übrigens, die Schildkröte gab es wirklich. Ich hatte sie Tina getauft und sie war mein späterer ständiger Begleiter, nachdem sie dem Babyalter entwachsen und von anfangs dreieinhalb Zentimeter Panzerlänge nun, immer noch wachsend, mindestens dreißig Zentimeter lang war. Sie lebte erst in einer Zinkbadewanne während meiner Assistentenzeit bei Dr. Barth, später in Langenleuba in sämtlichen Wohnungen bis zu ihrem Alterssitz in unserem Haus. Zahm wurde sie nie, blieb bissig und mit Vorsicht zu behandeln, aber irgendwie habe ich sie geliebt. Später, nach ihrem Tode, habe ich sie konserviert, und so sitzt sie heute in meinem Hobbykeller, trocken und friedlich, und erinnert mich an frühere Zeiten.

Moosbach hatte von höchster Stelle im Ministerium einige Kontrollfunktionen auszuüben und konnte so ungehindert die Sperrgebiete besuchen. Nach einigen wenigen Worten über das MKS-Geschehen und einem hastig getrunkenen Kaffee verabschiedete ich mich. Ein paar Kilometer weiter, am Kummerower See bei Pufe, herrschten da schon rauere Sitten. Hier gab es in der Kneipe von Hans Fernow, in der wir die Ergebnisse unserer Arbeit auswerteten, neben einem vorzüglichen, nach altem Familienrezept hergestellten, in Steinzeugtöpfen gelagerten Aal in Aspik immer nur Schnaps und Bier. Ich hatte Angst, so langsam aber sicher zum Alkoholiker zu werden.

Oft schipperten wir mit einem Angler auf den See zum Barschangeln, und sollte es mal später werden, trafen wir uns mit dem Bürgermeister und dem Ortspolizisten in Fernows Kneipe. Da kam es schon mal vor, dass der Ordnungshüter zu Pufe sagte:

„Aber Herr Doktor, Sie können in dem Zustand nicht mehr mit dem Auto fahren."

Worauf der ihm antwortete: „Denken Sie, ich kann noch laufen? Ich muss den Wagen nehmen."

Ich hatte ja einen viel weiteren Weg mit dem Auto zurück nach Demmin, vorher durch die Seuchenschleuse, Gummianzug überstreifen, Auto und ich einer Dusche Natronlauge ausgesetzt. Aber es ging immer alles gut, Gott sei Dank.

Eines Tages eröffnete Martin mir, er hätte gern seine Fraufreundin bei sich, ob ich das nicht irgendwie hinkriegen könnte. Am Bahnhof schaute ich dann auf eine der Beschreibung ähnelnde Person und richtig, es war Anne. Ich verfrachtete sie auf die Rückbank, legte Decken über sie und schmuggelte sie ins Sperrgebiet. Einmal dort, fragte niemand mehr nach dem Woher und Wohin. Nach der Beendigung der Sperre heirateten die beiden, während der Quarantäne hatte sich das Wunder der Empfängnis vollzogen, der Sohn wurde dann neun Monate später geboren.

Die Verantwortlichen der LPGs sehnten den Tag herbei, an dem die Seuchensperre aufgehoben wurde. Ich musste da immer noch eine Abschlussuntersuchung der Viehbestände machen und besonders auf eine ordnungsgemäße Klauenpflege und Desinfektion achten. Einmal fragte ich den verantwortlichen Zootechniker, ob er denn auch Räucheraal besorgen könne. Er konnte, und wie. Ich bekam nach Aufheben der Sperre einen fetten großen Aal, fuhr zum Ortsausgang, stieg aus dem Wagen und fraß mich erst mal satt an diesem herrlichen Tier. Hinterher war mir schlecht. Nach langen acht Wochen konnte ich dann endlich nach Hause, um einige Erfahrungen reicher und voll Freude auf das, was nun kommen sollte.

Wir waren ein unverheiratetes Paar, Regina und ich, was meinem Kreistierarzt als Chef zu der Äußerung brachte, ich solle doch dieses unmoralische Verhältnis endlich beenden, sprich heiraten. Aber das ließ ich mir natürlich nicht vorschreiben, und meine Einstellung zu dieser Person tendierte immer mehr zur negativen Seite. Ich war noch relativ unsicher, wie ich mich meinen neuen Kollegen gegenüber verhalten sollte, alle waren um einiges älter als ich, und so saß ich zur ersten Dienstversammlung ziemlich einsam herum. Aber das änderte sich schnell. Ein Kollege erzählte mir gleich eine Story aus seinem Tierarztalltag, die mich zum Lachen und mir die Missbilligung des Kreisveterinärs einbrachte. „Ich wurde eines Tages zu einem Züchter von Rehpinschern gerufen, dessen alter Rüde an einem unheilbaren Karzinom litt, nicht mehr laufen konnte und blind war. Ich erlöste das Tier mit einer schmerzlosen Injektion und wollte mir die Hände waschen. Als die Küchentür geöffnet wurde, schoss ein kleines braunes Etwas unter dem Tisch hervor, sprang hoch und verbiss sich oberhalb meines Knies. Als alter Fußballer streckte ich reflexartig das Bein, und das Tier landete mit einem vernehmlichen Knacken an der Türfüllung. Es war der teure Zuchtrüde im besten Alter. Er sagte nichts mehr. Mit den Worten: ‚Den Letzten berechne ich Ihnen nicht' verließ ich das Anwesen." Das Eis war gebrochen, ich hatte über viele Jahre ein herzliches Verhältnis zu fast allen Kollegen im Kreis.

Regina und ich bewohnten zu Anfang eine winzige Wohnung, niedrige drei Zimmer, kein Bad, Klo auf halber Treppe. Und trotzdem waren wir recht glücklich. Regina arbeitete als Hebamme im Krankenhaus in Altenburg. Probleme gab es, wenn sie Nachtdienst hatte. Meist holte ich sie dann ab, da zu dieser Zeit noch kein Bus nach Niederhain fuhr. Sie fiel todmüde ins Bett, ich begann meine Praxisrunde, und das Telefon klingelte sie dauernd wach. Also musste eine andere Lösung gefunden werden. Sie konnte in der Wöchnerinnenberatung arbeiten, die Dienstzeiten waren flexibel.

Eines Tages hatte sie noch einen Termin bei einer Frau, die einige Tage vorher entbunden hatte. Da ich aber an diesem Nachmittag etwas anderes vorhatte, überredete ich sie, die Frau doch erst am nächsten Tag zu besuchen. Aber am folgenden Tag war Regina krank. Was also machen? Sie erklärte mir, was ich die Frau fragen sollte und ich machte mich auf den Weg nach Altenburg, klingelte an der Tür und wurde von einem besorgten jungen Vater eingelassen. Blöderweise hatte ich mich mit Dr. Werner vorgestellt, und so dachte er, ich sei der zuständige Arzt. Es wäre auch alles gut gegangen, wenn sich die Frau nicht eine Brustentzündung eingefangen hätte. Als sie sich ihres Oberteils entledigen wollte, um mir die erkrankte Stelle zu zeigen, zog ich schnell die Notbremse, sagte, dass ich Tierarzt sei und nur meine Frau vertrete und sie schnell in medizinische Behandlung müsse. Gott sei Dank waren die beiden nicht sauer und bedankten sich für meine Ratschläge mit den Worten, Tier und Mensch seien doch etwa das Gleiche. So etwas haben wir niemals mehr gemacht.

Als wir dann später geheiratet haben, konnte Regina bei mir als Praxishilfe arbeiten, für einen Hungerlohn zwar, aber sie war zu Hause und konnte sich um alles kümmern. Sie wollte auch immer mal mit auf Praxistour fahren, und so nahm ich sie mit zu einem Besuch in der Schweinezuchtanlage. Neben vielen anderen Arbeiten wurde mir ein Schwein vorgestellt, das einen faustgroßen Abszess, eine Eiterbeule, hinter dem rechten Ohr hatte. Es ist eine leichte Übung, einen Abszess zu spalten, sieht aber spektakulär aus, wenn Eiter und Blut durch die Gegend spritzen. Ich zückte ein Skalpell und schwuppdiwupp war die Sache erledigt.

Regina war so in die Sache vertieft und hielt Ausschau nach weiteren Patienten dieser Art. Endlich hatte sie ein vermeintliches Opfer entdeckt, welches zwei riesige Beulen zwischen den Hinterbeinen hatte. „Da, bei der Sau muss auch was gemacht werden", sagte sie voller Hingabe. Der Schweinemeister machte ein etwas betretenes Gesicht und lächelte süß-sauer. Das auserkorene Schwein war der Zuchteber! Darüber haben wir noch lange gelacht.

Nach etwa einem Jahr sind wir in eine andere, größere Wohnung umgezogen, dazu später noch einiges. Kollege Dr. Paul besaß eine Hündin, einen Königspudel. Als diese mal Junge bekam, suchten wir uns einen kleinen, süßen, männlichen Welpen aus und nannten ihn Rex. Der wuchs rasch zu einem stattlichen Tier heran, war, wie es bei Lehrerkindern und Tierarzthunden so üblich ist, schlecht erzogen, hörte also wenig bis gar nicht auf unsere Befehle. Auf dem Hof vor unserer Wohnung stand ein Gebäude, in dem die Kinder der Schule ihren polytechnischen Unterricht absolvierten. In den Pausen war also immer eine Menge los auf diesem Gelände, und unser Hund erfreute sich größter Beliebtheit, zumal er wahnsinnig gern die Pausenbrote der Schüler verspeiste, die ihm immer wieder hingehalten wurden.

Unser Hauswirt hielt sich eine kleine Schaar Hühner, die frei und ungezwungen auf einer Wiese hinter den Häusern ihrer Beschäftigung nachgingen. Eines Tages hatte Rex eines der Tiere erlegt. Ich war wütend und schimpfte gewaltig mit ihm. Mit eingezogenem Schwanz trollte er sich davon, kam aber nach einer Weile wieder und, was war denn das, er legte mir stolz den einzigen Hahn unseres Wirtes vor die Füße mit einem Blick wie: „Bist du nun zufrieden, ich habe dir das gebracht, was du haben wolltest!" Er hatte mich bei meinem ersten Zornesausbruch wohl falsch verstanden.

Autofahren war das Größte für unseren Hund. Jeden Tag kam er mit auf meinen Praxistouren, und wenn ich durch den Wald abseits der Verkehrsstraßen fuhr, wollte er unbedingt aus dem Wagen springen und so lange hinterher laufen, bis er nicht mehr konnte. Einmal war er auf einer Tour alleine durchs Dorf, da erblickte er ein Auto, das genauso aussah wie das seines Herrchens. Es stand vor der Sparkasse, die Fahrertür geöffnet, aber keiner drin. Flugs nahm Rex Platz auf dem Beifahrersitz und wartete auf mich, aber ich kam nicht, sondern ein Mitarbeiter der Sparkasse, der ein paarmal in der Woche Geld von Altenburg in unsere Filiale brachte. Aber der konnte nicht mehr in sein Auto, denn Rex wurde zur Bestie, wenn ein Fremder meinen Wagen betreten wollte, er knurrte und zeigte seine gefährlichen Zähne. Es war aussichtslos für den Besitzer. Jemand sagte, das wäre doch der Hund vom Tierarzt, und so wurde ich herbeigerufen und konnte die Situation entschärfen.

Einmal hatten wir Besuch von Reginas Eltern und Schwester mit Familie. Auf dem Tisch in der Küche stand eine wunderschöne Torte und Rex befand sich ebenfalls unbeaufsichtigt in diesem Raum. Schwiegermutter Gertrud war immer ein wenig vorsichtig und ängstlich, und sie meinte, der Hund sei so ruhig, er würde doch nicht an die Torte gehen. „So ein Quatsch", entgegnete ich, „der ist doch gut erzogen (ha, ha, ha), er würde das nie wagen." Aber schließlich ging ich doch mal nachschauen.

Mich rührte bald der Schlag. Mein Hund stand mit den Hinterbeinen auf einem Küchenstuhl, mit den Vorderbeinen mitten in der Torte und schleckte genüsslich Buttercreme und Sahne.

Ein anderes Mal hatten wir ihn an dem Küchentisch angeleint, Reginas Abwasch stand in einer riesigen Metallschüssel auf dem Tisch, da klingelte es an der Tür und der Hund schoss wie von der Tarantel gestochen Richtung Eingang. Der gesamte Inhalt der Schüssel flog auf den Küchenboden, alles, was kaputt gehen konnte, war zerbrochen, Rex hatte aber diesmal keine Schuld.

Der Sohn eines Freundes rief an: „Onkel Buddy, weißt du, dass euer Nest bei Karl May im ‚Schatz im Silbersee' beschrieben wird?" Ich wusste es nicht, las aber sofort die entsprechende Stelle durch und wahrlich, da stand es schwarz auf weiß. Neben Old Firehand, Winnetou und Old Shatterhand wird da über zwei ulkige Gestalten geschrieben, Sebastian Melchior Pampel, genannt Tante Droll, und Hopple Frank, die, verkehrt herum auf ihren Pferden sitzend, um die sie verfolgenden Indianer besser beobachten zu können, seitenlang ein Gespräch über ihre Herkunft führen. Dabei sagt Tante Droll, genauso, wie wir es immer tun, er komme aus einem kleinen Nest im Herzogtum Sachsen-Altenburg, das sowieso keiner kenne. Aber weit gefehlt, dem Gesprächspartner war Langenleuba-Niederhain wohlbekannt. Und an mehreren Stellen schwärmt der Droll geradezu von dem Ziegenkäse und den Kirmsen, für die vierzehn Tage lang Kuchen gebacken wird. Wer kann schon seinen Heimatort in der Literatur wiederfinden …?

Unser Ort liegt jetzt in Thüringen, nachdem nach der Wende 1990 der neu gewählte Kreistag in einer undemokratischen Art und Weise sondergleichen in einer dem Willen der Bürger des gesamten Kreisgebietes hohnsprechenden Abstimmung sich nicht für die Eingliederung nach Sachsen ausgesprochen hatte. Vielleicht wäre es sonst zu einer Vereinigung von Langenleuba-Niederhain mit dem sächsischen Langenleuba-Oberhain gekommen, da die beiden Orte, früher zusammengehörig, 1485 aufgrund der Länderteilung zwischen der albertinischen und der ernestinischen Linie des Wettiner Fürstenhauses getrennt worden waren. Unser „Halbes Schloß", früher ein Kleinod barocker Baukunst, steht als Ruine da, es verfällt immer mehr, und manch einer würde es am liebsten abreißen lassen. Es gab schon einige Ideen zur Nutzung, aber das wichtige Hinterland für Tourismus fehlt hier, und dann haben wir ja nicht mal einen Golfplatz! Doch nun erst mal weiter mit der Vergangenheit.

Ein großes Problem war die Beschaffung eines Autos. Als Praxiswagen bekam jeder Staatspraktiker einen Moskwitsch oder, wenn er Glück hatte, einen Wartburg für die Erfüllung der dienstlichen Aufgaben gestellt. Oftmals handelte es sich dabei um ältere Modelle in katastrophalem Zustand. Wenn es einigermaßen gute Wagen waren, so machten die Schlaglöcher und Matschwege in kurzer Zeit aus ihnen Rostlauben. Einen Privatwagen besaßen wir damals noch nicht, wir konnten uns auch finanziell einen solchen nicht leisten, zumal die Wartezeiten nach einer Bestellung oft über zehn Jahre betrugen. Aber eine Bestellung hatten wir in Leipzig beim sogenannten IFA-Vertrieb schon kurz nach dem Studium abgegeben. Damals hatte der Buschfunk gemeldet, im sozialistischen Ausland würde ein Fiat in Lizenz gebaut. Mein Freund Hörügel und ich waren darauf hin zu besagten Vertrieb geeilt und hatten schriftlich die Bestellung für einen „Fiat 1300“ abgegeben. Wir wurden darauf hingewiesen, es sei überhaupt nicht klar, ob jemals ein Import dieses Autos erfolgen würde. Aber wir bestanden darauf, unsere Bestellung aufzugeben, auch auf die Gefahr hin, nie ein Auto zu bekommen. Und so vergingen die Jahre, bis eines Tages Post ins Haus flatterte. Man teilte uns mit, unsere Bestellung verfalle, wenn wir nicht auf einen anderen, in der DDR verkauften Wagentyp umsteigen würden. Klaus Hörügel bestellte einen Trabant und wartete darauf noch weitere drei Jahre, ich bestand auf der alten Bestellung und wartete auf das, was kommen würde.

Ein Jahr verging, da stand irgendwo zu lesen, einige „Polski Fiat“ seien in Jena und auch in Leipzig verkauft worden. Meist an Spitzensportler oder staatsnahe Leute. Ich setzte wutentbrannt einen Brief auf, in dem ich schrieb, dass ich der erste in der DDR war, der ein solches Modell bestellt hatte und einiges mehr. Es tat sich zwei Wochen nichts. Dann kam ein Anruf, ich solle innerhalb von zwei Tagen meinen Fiat in Leipzig abholen und bar bezahlen. Wir hatten dreitausend Mark auf dem Konto, das Auto kostete aber über zweiundzwanzig. Ich borgte von überall das Geld zusammen und fuhr per Anhalter nach Leipzig, erst mal zu meinem Freund Bernd Hertel, mit dem ich ja schon als Komparse vor der Kamera gestanden hatte. Mit seinem Auto fuhren wir dann in das Auslieferungslager, dort stand mein Traumwagen, türkisfarben, ebensolche Sitze, am Außenspiegel schon einige kleine Rostflecke, der Zigarrenanzünder geklaut. Als ich darauf hinweisen wollte, erhielt ich nur die barsche Antwort: „Es ist eben kein Mercedes, wollen Sie ihn nun nehmen oder nicht?" Es gab sicher eine Menge von zahlungskräftigeren Leuten, die dem Verkäufer ein ordentliches Trinkgeld gegeben hätten. Natürlich nahm ich den Wagen und fühlte mich wie im siebten Himmel. Alles an dem Teil war noch original italienisch, denn die ersten Autos wurden in Polen nur zusammengeschraubt, bevor die Bänder dort richtig anlaufen konnten. Benzin in der geforderten Qualität gab es zu Anfang nur in Leipzig. Wir besorgten uns ein Zweihundert-Liter-Fass und unterhielten in der Garage die eigene Tankstelle. Lange bin ich diesen Wagen gefahren, viel zu lange. Dass der wie andere Autos mit der Zeit vom Rost aufgefressen wurde, habe ich ignoriert, leider.

Inzwischen hatten wir geheiratet, nicht, um unseren Kreisveterinär zu beruhigen, sondern weil wir es wollten. Auch einen anderen, oft naheliegenden Grund gab es nicht, unser Sohn Bert wurde erst elf Monate später geboren. Von Anfang an nahmen wir Bert auf fast alle unsere Reisen mit, außer zum Wintersport in den ersten Jahren. Da war uns Reginas Schwester Christa mit ihren zwei Kindern immer eine große Hilfe.

Wir hatten drei Wochen Urlaub im Jahr, und die wollten wir im September in Bulgarien verbringen. Es war das Jahr 1971, Bert, gerade mal drei Jahre alt, sollte natürlich mitkommen. Zu dieser Zeit gab es mit dem ausländischen Geld noch nicht solche nahezu unüberwindbaren Hürden wie in den kommenden Jahren. Wir konnten nach Herzenslust DDR-Mark in Lewa umtauschen, auch für Rumänien und Ungarn hatten wir genug Geld in der

Brieftasche. Es konnte losgehen, Visa waren besorgt, ein kleines Zelt und Luftmatratzen nebst Verpflegung im Kofferraum. Bert brauchte damals noch keinen Kindersitz und hatte die Rückbank als Spielwiese und Bett für sich allein.

Alles ging soweit recht gut, das Auto schnurrte und wir waren voller Erwartung auf die Küste Bulgariens. Nur dass Bert alle sechzig Kilometer jammerte, wann wir denn nun endlich in Bulgarien sein würden, nervte gewaltig.

Am ersten Tag schafften wir es bis kurz nach Budapest und schlugen unser Zelt irgendwo in der Nähe zur Straße auf. Dann durch Rumänien. In Bukarest kauften wir erst mal allerlei westliche Dinge, Getränke und Ähnliches. Das gab es da noch! In späteren Jahren waren die Geschäfte wie leer gefegt, nur noch Mangel überall.

Unser Zelt wurde abends wieder ganz unbekümmert auf einem Feldweg nahe der Hauptstraße aufgeschlagen. Morgens weckten uns Hufgetrappel und ein Schwall unverständlicher Worte. Es war ein Bauer, der mit seinem Pferdewagen nicht an uns vorbeikam. Aber ganz freundlich und nett. Wir packten schleunigst ein und düsten davon.

An der bulgarischen Schwarzmeerküste, in Sozopol, suchten wir uns ein Quartier, große Mühe machte das nicht, und nachdem wir einige nicht so ganz vertrauenswürdig aussehende Unterkünfte abgelehnt hatten, kamen wir in einem neu gebauten, größeren Haus unter. Ein Zimmer mit drei Betten, eine Lampe an der Decke ohne Schirm, also nur die baumelnde Birne, kein Schrank, ein Tisch und zwei Stühle, wackelig, aber zu gebrauchen. Wir waren erst mal ratlos, zumal es auch kein Türschloss gab. Aber Bert fand alles in Ordnung und munterte uns dermaßen auf, dass wir am Ende das Zimmer mieteten. Im Nachbarzimmer wohnte eine nette polnische Zahnärztin mit ihrer Mutter, die uns eine gute Freundin wurde.

Die kommenden Tage verbrachten wir am Strand, einige Kilometer vom Ort entfernt, ziemlich einsam, aber bei ganz klarem Wasser und feinem Sand recht erholsam. Ich schnorchelte viel, Regina und Bert tollten im Wasser und spielten am Strand. Eines Tages sahen wir zwei Frauen, für unsere Begriffe schon älter, die gebückt durch den Sand liefen und immer mal etwas aufsammelten. Neugierig gingen wir näher und fragten, was es denn da zu suchen gäbe. Die eine Dame stellte sich als Maria Lerchova aus Prag vor, die andere war ihre Vermieterin von hier. Maria sammelte unterschiedliche Muscheln, aus denen sie kunstgewerbliche Dinge herstellte. In der CSSR hatte sie dafür Abnehmer, die dann den Vertrieb übernahmen.

Die Unterwasserwelt hatte mich schon immer fasziniert. An der kalten Ostsee machte ich, wenn auch mit wechselndem Erfolg, Jagd auf Aal und Flunder. Nun sah die Landschaft im Schwarzen Meer doch schon irgendwie tropischer aus als dort, und so rüstete ich mich mit meiner kleinen Schussharpune und dem Neoprenanzug zu so manchem Tauchgang. Aber Fische sah ich nur wenige, und dann nur kleine niedliche, die ich niemals jagen wollte. Umso mehr war ich interessiert, als sich an einem Nachmittag zwei Männer, einer in meinem Alter, der andere schon deutlich älter, am Strand mit einer tollen Harpune beschäftigten. Der jüngere stieg dann ins Wasser und probierte die Waffe, eine Spirotechnique, aus, kam wieder heraus und diskutierte mit dem älteren. Ich fragte die beiden nach der Harpune, einem französischen Modell, druckluftbetrieben, und bekam zur Antwort, sie könnten mir etwas Ähnliches besorgen, aber erst mal müssten sie nach Mitschurin, einem entlegenen Kaff Richtung Türkei, denn dort fänden am Wochenende die Meisterschaften im Harpunenfischen statt. Wenn ich Lust hätte, könnte ich doch als Gast mitmachen.

Blöd, wie ich war, sagte ich begeistert zu und machte mich am besagten Wochenende auf den langen Weg. Ich wurde vom Veranstalter auch nett empfangen, man sagte mir, ich könne gern teilnehmen, dürfe nur nicht gewinnen. Und was für eine Harpune ich hätte? Die billige Kaufhausmarke kannte natürlich keiner, und ans Gewinnen war ja kaum zu denken. Ein Dozent von einer Uni aus Sofia nahm sich meiner an, er konnte so leidlich Deutsch und machte mit mir eine kurze Einweisung. Jeder Teilnehmer bekam einen Bootsführer in einem kleinen Kahn zugeteilt, der die gefangenen Fische entgegennehmen sollte und diese zu markieren hatte, damit hinterher der Sieger ermittelt werden konnte. Mein Betreuer, so will ich den Dozenten mal nennen, zeigte mir die Spitzenleute, teilweise mit zwei riesigen Harpunen und tollen Tauchanzügen. Der eine, der Vorjahrsmeister, hatte bei einem Event in Jugoslawien drei Haie geschossen. Und getaucht wurde bis über die Zwanzig-Meter-Marke. Dann wurden die Teilnehmer einzeln aufgerufen und dem Bootsführer zugeteilt. „Tuka, tuka", ich glaube, das hieß „Hier, hier" wurde gerufen, und ich kam mir immer verlorener vor. Das Wetter wurde auch immer stürmischer, die See rauer, und ich verdrückte mich mit der Ausrede, nun meine Sachen aus dem Auto holen zu müssen, stieg ein und gab Gas Richtung Sozopol und Familie.

Aber so ganz war ich der Sache doch nicht entkommen, denn Tage später stand der junge Bulgare vom Strand vor der Tür und brachte mir ein Mordsding von einer Harpune, Druckluft und Öl als Treibmittel, sehr teuer, aber ich kaufte sie. Zu Hause beim Ausprobieren schoss sie zwar alles kurz und klein, aber der Pfeil ließ sich nicht richtig arretieren und rutschte immer aus dem Schaft. Keiner konnte das reparieren und so blieb sie ein teures Andenken ohne Nutzen. Ich versuchte die Reparatur später trotzdem. Wie Männer so sind, wenn sie mal alleine ihre Zeit verbringen müssen – Regina und Bert waren zu einem Besuch der Eltern nach Jeßnitz gefahren – werden irgendwelche blödsinnigen Dinge gemacht. Ich probierte in unserem Badezimmer stundenlang, ob ich die Harpune wieder richtig in Gang bringen konnte. Dabei hatte ich die Harpune, am Boden sitzend, zwischen meinen Beinen fixiert, den Pfeil, natürlich ohne die messerscharfe Spitze, zur Decke gerichtet. Ich berührte den Abzug und es gab ein eigentümliches Geräusch, Putz rieselte herab und der Pfeil steckte fünfzig Zentimeter neben mir in den Holzdielen. Er hätte auch meinen Kopf treffen können! So schnell konnte ich nicht reagieren. Er war an die Decke geschnellt und von dort abgeprallt, um dann in den Dielen stecken zu bleiben. Meiner Frau habe ich dies erst viel später erzählt.

Mit Maria, unsere Strandbekanntschaft, verband uns bald eine innige Freundschaft. Sie hatte einen kleinen knallgelben Fiat, und sie fragte, ob wir zusammen von Bulgarien aus nach

Hause fahren könnten. Ich fuhr zu dieser Zeit immer lieber allein und ziemlich rasant, aber ich sagte Ja.

Unterwegs gab es Augenblicke, wo ich ein anderes Auto so gerade mit Mühe überholt hatte und im Rückspiegel nach dem gelben Flitzer schaute. Und der zwängte sich immer gerade noch so zwischen dem Überholten und dem Gegenverkehr hindurch. Maria „schnippelte", später hieß sie immer nur die „Schnippelmaria".

In Rumänien übernachteten wir in einem Motel etwa zweihundert Kilometer vor der Grenze nach Ungarn. Als wir am nächsten Tag zur besagten Grenze kamen, fehlte der Pass von Maria, sie hatte ihn im Motel vergessen. Der rumänische Grenzer rief dort an und glücklicherweise wurden die Dokumente gefunden. Maria musste wieder zurückfahren, es war Wochenende, mit der Post hätte es ewig gedauert, und so kurvte sie die beschwerliche Strecke noch mal hin und zurück. Wir machten derweil noch ein paar Tage Urlaub in Budapest, konnten übrig gebliebene Lewa in Forint tauschen und nahmen uns für drei Tage ein schönes Hotelzimmer.

Auf der Heimfahrt besuchten wir Maria in Prag, und unsere Freundschaft blieb über viele lange Jahre erhalten. Manchmal düsten wir drei Mal im Jahr dorthin und erlebten schöne Stunden voller Kultur und abendlichen Barbesuchen. Maria bestellte an diesen Abenden immer das Beste vom Besten und legte sich schon mal mit dem Kellner an, wenn der Whisky nicht ihrem Geschmack entsprach. Einmal waren wir in einer der kleinen gemütlichen Bars, die es in Prag gab, und Maria fragte den Kapellmeister, ob sie ihr Lieblingslied, ich glaube es war „Moonlight in" oder „And the shadows", spielen könnten. Sie konnten. Und Regina zwang mich, mit Maria zu tanzen. Erst mal klebte, nein, klatschte sie dem Musiker eine Hundertkronennote an die schweißnasse Stirn, dort blieb sie auch sitzen, und der Mann verbeugte sich und geigte weiter herzzerreißend. Maria ging rückwärts in die Knie, kam aber aufgrund ihres Alters nicht mehr hoch. Ich bettelte sie an, doch solche Verrenkungen zu lassen und zog sie dann wieder in die Senkrechte. Aber sie war glücklich.

Solche Freundschaften gab es auch mit Boguslaw Doylidko in Polen, und das waren Freundschaften, die nicht aus merkantilen Gesichtspunkten gepflegt wurden. Im Gegenteil, eine solche Herzlichkeit von doch erst mal fremden Menschen habe ich kaum wieder erlebt.

Im Sommer sollte es wieder einmal an die Ostsee gehen zum Campen. Schwager Dieter und Christa hatten über Dieters Betrieb eine Zeltgenehmigung für Dranske auf Rügen bekommen, wir standen aber da, ohne diesen wichtigen Schein in den Händen zu halten. Es war fast wie ein Fünfer im Lotto, hier eine positive Nachricht zu bekommen, viele Camper bestellten schon um die Weihnachtszeit den gewünschten Platz, ohne aber in jedem Fall auch eine positive Antwort zu erhalten. Wir hatten wieder mal nichts. Also musste mir etwas Außergewöhnliches einfallen, um doch noch an das begehrte Papier zu gelangen. Wir fuhren schon gegen Mitternacht von zu Hause los, waren dann so gegen halb neun morgens in Stralsund vor der Zeltplatzvermittlung und hatten noch eine halbe Stunde Zeit bis zur Öffnung. Was sollte mir nun einfallen? Ich machte den Vorschlag, wir seien als Entwicklungstierärzte in Afrika und auf Heimaturlaub, den wir mit der Familie in Dranske verbringen wollten. Regina war mehr als skeptisch, einmal, weil sie jede Art von Lügenstorys hasste, und unser blasses Aussehen kaum für einen langen Aufenthalt in Afrika sprechen würde. Dabei hätte ich eine Menge über Tansania erzählen können. Grzimek lässt grüßen. Alle seine Bücher hatte ich verschlungen, und über die Serengeti und den Ngorongoro-Krater konnte ich berichten, als wäre ich selbst dort gewesen. Was nun tun? In der Auslage eines Buchladens sahen wir ein Buch über die Mongolei. Das war's! Über dieses Land hatte ich gerade einen Bericht gelesen, mir zwar kaum etwas gemerkt, außer, dass es Tee mit Yakbutter gab, in der Butter oft die Haare dieser Tiere zu finden wären und alle in Jurten hausten. Regina hatte keine bessere Idee, wäre aber am liebsten wieder nach Hause gefahren.

Voller Mut betraten wir die Vermittlung und ich sagte meinen Vers der Dame am Schreibtisch auf. Diese guckte ziemlich hilflos, klopfte an eine Tür und bat uns zum Direktor. Der hörte sich alles geduldig an, um dann plötzlich ganz interessiert nach Einzelheiten zu fragen, in welcher Gegend wir in der Mongolei arbeiteten und ob die Winter immer noch so entsetzlich kalt seien, er wäre nämlich auch für einige Zeit dort gewesen. Regina wurde noch blasser als vorher, und auch mir wurde heiß und kalt. Und ob die Rituale bei einer Begrüßung immer noch die gleichen seien, fragte er interessiert. Ich fing aber nicht an zu stottern, sondern erzählte irgendwas Haarsträubendes, unser Standort sei etwas südlich von Ulan Bator bei Sainsand, am östlichen Rand der Wüste Gobi und ja, die Winter seien kaum auszuhalten vor Kälte, und bei der Begrüßung, mir fiel dies noch im letzten Moment ein, weil ich es beim Lesen so komisch gefunden hatte, da holte jeder ein Fläschchen hervor, oft aus Jade oder anderen kostbaren Materialien gefertigt, und daran musste man riechen oder so tun als ob. Eine Art Schnupftabak wäre in den Flaschen.

Er verabschiedete uns erst mal höflich mit der Bitte, doch in einer halben Stunde wiederzukommen. Ich hatte die Hoffnung, dass alles gut gehen würde, Regina war völlig alle. Jetzt wäre alles aus. Und dann glaubte sie noch, einen mongolisch aussehenden Typen in der Nähe des Gebäudes gesehen zu haben, der ja sicher unsere Angaben überprüfen würde. Damit wäre das Ende besiegelt. Ich war zwar auch etwas verunsichert, aber Panik kam bei mir nicht auf.

Wir standen nach einer halben Stunde wieder vor der Dame der Vermittlung, nicht wir, sondern ich. Regina blieb mit Bert im Auto sitzen und schwitzte vor sich hin. Umso erstaunter war sie, als ich lachend die Zeltgenehmigung hin und her schwenkend vor ihr stand. Freundlich und noch mit besten Grüßen vom Direktor war mir der Schein problemlos übergeben worden.

Nun konnten drei unbeschwerte Urlaubswochen beginnen. Wir hatten ein großes Zelt mit Wohn- und Schlafbereich, Campingbetten – sogenannte Russenliegen –, auf denen man ganz gut ruhen konnte, und das ganze Gerümpel, was ein Camper so mit sich herumschleppt. Besonders schön waren die Abende, an denen wir Männer, Dieter, Christas Mann, Fred, der Freund der beiden und ich, etwas abseits vom Zeltplatz, versteckt in den oft mannsgroßen Steinen der Küste, unseren Fleischspieß mit einem Rollbraten bestückt drei Stunden lang über dem Feuer drehten, dabei tüchtig dem Rotwein zusprachen und wie die alten Weiber schwatzten. Das musste alles heimlich geschehen, denn Feuer am Strand oder in der Nähe war streng verboten, die heilige Staatsgrenze war ja nicht weit. Aber es ging alles immer ohne Zwischenfälle ab.

Als begeisterte Taucher – ohne Gerät, denn die waren für Privatpersonen so gut wie verboten – machten wir den Meeresboden unsicher, aber auch wieder in gehörigem Abstand zum Campingplatz. Wir hatten uns Harpunen gebastelt und stellten mit Begeisterung Aalen und Flundern nach. Da die Ostsee auch im Hochsommer immer Temperaturen aufweist, die alle äußeren und inneren Organe eines menschlichen Körpers sichtbar schrumpfen lässt, hatte ich mir aus der CSSR einen Neoprenanzug besorgt. Es war ein ziemliches Ungetüm, dick und etwas steif, aber mit Kopfhaube und Füßlingen – für meine damaligen Ansprüche einfach toll. Die Kälte blieb außen vor. Zum Trocknen hing der Anzug manchmal vor unserem Zelt, und so kam es, wie es in der DDR kommen musste: Eines Tages rollte ein tarnfarbengrüner Wagen mit vier bewaffneten Armeeleuten über den Strand, ein dickbäuchiger Mann in Badehose zeigte in Richtung meines Schwagers und sofort wurde der unschuldige Dieter statt meiner Person in Gewahrsam genommen. Er konnte den Irrtum aber noch aufklären, dass er gar keinen solchen republikfluchttauglichen Anzug besaß. Der Denunziant führte daraufhin die Soldaten zu mir. Der Truppführer, ein Oberleutnant, war ganz in Ordnung. Er schlug mir vor, den Anzug bis zu unserer Abreise bei sich in der Kaserne einzuschließen, ich könne ihn dann am Urlaubsende wieder abholen. Der Zeltplatzchef hätte noch ganz andere Maßnahmen vorgeschlagen wie ein Verweis vom Zeltplatz und Beschlagnahme des Anzuges. Ich musste mich fügen, daran war nichts zu ändern. Ganz schnell kam man in den Verdacht, eine Flucht vorzubereiten. Aber eines war klar, egal wo man war, überall gab es Leute, die ihre Augen und Ohren offenhielten, um ihre Umgebung zu bespitzeln. Oftmals wussten aber selbst die Sicherheitsorgane, sprich, die Polizei, nicht, wer was war und wem sie trauen konnten. Es war geradezu belustigend.

Wir hatten als angestellte Tierärzte, private gab es nicht mehr und Privatisierungen wurden auch nie erlaubt, vom Rat des Kreises einen Dienstausweis. Der war aus Pappe oder was Ähnlichem, aufklappbar, neun mal sechs Zentimeter groß, ein Passbild und die Anschrift im Inneren, außen grün mit dem goldenen DDR-Emblem und darüber in goldenen Lettern „Deutsche Demokratische Republik“. Sah schon etwas verwirrend aus. Auf der Heimfahrt von der Ostsee mussten wir Berlin umfahren auf einer immer verstopften Straße um Nauen herum. Schwager Dieter mit Trabi, Kindern und kleinem Anhänger voraus, wir hinterher. Vor einem Bahnübergang überholte mich ein Trabi und quetschte sich zwischen Dieter und mich. Wütend verkürzte ich den Abstand, um den Drängler zu ärgern. Gerade als ich mal zur Seite geschaut hatte, stand die ganze Schlange, ich bremste zu spät und bumste den Trabi kurz an, der wiederum rutschte auf Dieters Anhänger. Bei mir war der linke Kotflügel eine Ziehharmonika, der Trabifahrer fummelte an seiner Kofferklappe und bei Dieter war ein Rücklicht am Anhänger kaputt. Wie aus dem Nichts standen zwei Polizisten bei uns und wir mussten erst mal die Ausweise zeigen. Ich kramte umständlich in meiner Brieftasche, dabei kam auch mein Dienstausweis zum Vorschein.

„Moment mal“, sagte der Polizist, „was ist das für ein Ausweis?“

„Das ist mein Dienstausweis“, erwiderte ich.

„Sind Sie auch bei der Polizei?“

„Nein, ich gehöre einer anderen Dienststelle an“, war meine Antwort.

„Ja, dann muss ich die Angelegenheit einer übergeordneten Behörde zur weiteren Bearbeitung übergeben und dort anrufen“, sagte der Beamte. Ich hatte große Mühe, ihm klarzumachen, dass dies nur ein Tierarztausweis war und ich ein ganz normaler Bürger. Das Prozedere nach dem Unfall erspare ich mir.

Und noch einmal kam mein Ausweis ins Spiel. Wir hatten in Gera einen Farbfernseher bestellt. Es gab vereinzelt Sanyo-Geräte, der Preis geradezu Wahnsinn, aber alle wollten so ein Ding haben, wir auch. Eines Nachmittags klingelte das Telefon, ich war gerade unterwegs zu einigen unpässlichen Kühen, und die Dame am anderen Ende der Leitung sagte, wir könnten unseren Fernseher abholen, aber bis achtzehn Uhr müsse das geschehen sein, ansonsten wäre er weg. Handys gab es noch nicht, Regina konnte mich nirgends erreichen.

Ich kam nach Hause, eine Stunde blieb uns noch. Gera war 50 Kilometer von uns entfernt und in dieser Zeit nur mit Mühe zu schaffen. Ich fuhr deshalb immer zu schnell. Auf der Straße nach der Autobahn war die Begrenzung auf sechzig Stundenkilometer festgelegt, ich düste aber deutlich schneller dahin. Und dann standen sie plötzlich da. Eine Kelle winkte mich zum Straßenrand, die Verkehrspolizisten baten mich auszusteigen und die Papiere vorzulegen. „Herr Doktor Werner, wir gratulieren Ihnen, Sie sind der Tagesschnellste und wir wollten gerade einpacken, das hat sich doch noch gelohnt." Ich sah den Fernseher samt meiner Fahrerlaubnis verschwinden und hatte kaum Hoffnung auf ein Wunder. Aber es kam. Ich ließ in meiner Verzweiflung den kleinen grünen Ausweis wie aus Versehen zu Boden fallen. Und dann wieder die fast gleiche Frage wie bei Berlin: „Was ist das für ein Ausweis, sind Sie bei der Polizei?" Wieder die gleiche Antwort: „Nein, ich gehöre einer anderen Dienststelle an." Und da geschah es. Die beiden sahen schon irgendwelche Unannehmlichkeiten auf sich zukommen, entschuldigten sich bei mir und baten doch um meine Einsicht und fünf (!!!) Mark als Strafe, da sie doch schon alles in das Protokoll geschrieben hätten, die Geschwindigkeit könnten sie noch ändern. Ich sagte freundlich: „Tun Sie Ihre Pflicht, Genossen" und düste davon, gerade noch rechtzeitig zum Kauf unseres Sanyos.

Jochen war schon ein besonderer Mensch. Als Judoka hatte er so alles gewonnen, was in der DDR zu gewinnen war. Auch ich habe dank intensiven Trainings mit ihm so einiges gelernt, habe aber nie seine Körperbeherrschung und seine Klasse auch nur im Entferntesten erreichen können. Dabei war Jochen zwar ein durchtrainierter Athlet, aber überhaupt kein Asket. Bei einer nationalen Meisterschaft verlor er seinen ersten Kampf und musste nun seine weiteren Kämpfe gewinnen, um in die Endrunde zu gelangen. Jeder andere hätte nun verbissen in der Pause zwischen den Kämpfen entweder über seine Taktik gegrübelt oder noch ein bissel trainiert. Er hatte etwa drei Stunden Zeit bis zum nächsten entscheidenden Fight, rauchte erst einmal eine seiner teuflisch starken Zigaretten Marke „Eckstein“, besuchte eine Freundin und vergnügte sich mit ihr im Bett für eine Stunde. Gelöst und locker stand er dann wieder auf der Matte, gewann alle folgenden Kämpfe und wurde am Ende DDR-Meister.

Oft trafen wir uns im „Café Corso“ in der Leipziger Innenstadt, wo immer eine Menge Bohemiens über Sagan, Hemingway und Remarque diskutierten, gingen dann zum Training und anschließend noch auf ein Bier, für mich Wasser, in den Burgkeller. Dort schauten wir natürlich auch den Mädels nach, und manchmal ergab sich eine günstige Konstellation für ein nettes Schäferstündchen. Wie gesagt, alles noch vor Regina und Langenleuba, aber das Folgende ist wieder zeitgleich. Jochen liebte das Skifahren genauso wie ich, aber für uns DDR-Bürger war die Materialbeschaffung kaum zu lösen. Das fing bei ordentlichen Ski an. Solche mit Rennkante gab es nicht zu kaufen, später wurden einige Messeexemplare von „Kneissl“ und „Kästle“ zu für mich astronomische Summen im Sport-HO angeboten. Auch Skistiefel mit Schnallen waren entweder nur über Westverwandtschaft zu bekommen oder man hatte wenigstens die Westschnallen und fand Zugang zu einer privaten Schuhmacherei, die solche Stiefel herstellen konnte. Jochen hatte eine solche Werkstatt in der Nähe von Leipzig, in Weißenfels, ausfindig gemacht, und wir wollten dorthin fahren, um zu erkunden, welche Möglichkeiten für den Bau solcher Schuhe für uns bestanden. Es gab keine Möglichkeiten! Enttäuscht fuhren wir wieder zurück.

Wie beiläufig erwähnte Jochen, dass er am linken Oberkiefer eine Geschwulst hätte, die durch einen Ellbogenschlag eines Mitspielers beim Volleyball entstanden sei. Er wolle, da die Beule nicht zurückgehe, mal bei einem Arzt vorstellig werden. Jetzt sah ich das Ding auch, etwa walnussgroß, beim Anfassen sehr hart. Da sein befreundeter Arzt im Urlaub war, ging er in die Uni-Klinik zum Röntgen. Den Befund sollte er seinem Hausarzt vorlegen, aber er öffnete natürlich das Schreiben und sah eine niederschmetternde Diagnose: „… wahrscheinlich karzinomatösen Ursprungs“! Alles Weitere machte Jochen, ohne dass seine Frau, er hatte inzwischen geheiratet, oder irgendein Freund etwas ahnte. Er wartete auch nicht eine Biopsie oder OP ab, nein, er brachte seiner Heidi das Autofahren bei, regelte alle möglichen Sachen, wartete, bis sie zur Arbeit gegangen war, schob einen großen Schrank vor die Türe, soff eine Flasche Wodka aus, legte sich aufs Bett und die Arme in einen Eimer und schnitt sich beide Pulsadern auf. Es kam, wie es kommen musste: Die Wunden schlossen sich von selbst, da die Schnittführung nicht exakt genug gewesen war. Halb in Trance warf er den Eimer um und das Blut war überall auf dem Boden, der Schrank kippte auch auf die Seite, als er ihn wegschieben wollte, dann fiel er in Ohnmacht. Im Krankenhaus erholte er sich ganz schnell, und am zweiten Tag verließ er heimlich die Station, ging zum fünfstöckigen Nebenhaus, stieg bis zum letzten Stock hinauf und öffnete das Fenster zum Hof. Unten hatte jemand eine Leine kreuz und quer fürs Wäschetrocknen gespannt. Also lief er die Treppen wieder hinunter, entfernte die Leine, ging hinauf und machte einen Kopfsprung in die Tiefe. Später konnte er sich an die Zeit nach dem Absprung nicht mehr erinnern. Er war ein guter Wasserspringer, der aus zehn Metern einen exakten Kopfsprung machen konnte. Ob sein Unterbewusstsein im mitgeteilt hatte: „Köpper und kein Wasser, also schnell eine Rolle machen" oder so was Ähnliches, keiner weiß es. Er hatte eine Gehirnerschütterung und einen gebrochenen Lendenwirbel. Er war querschnittsgelähmt. Seine Frau bestand darauf, dass ihm sofort die Beule aus dem Gesicht geschnitten wurde, was man auch tat. Und dann das Ergebnis: Es war kein tumoröses Gewebe, sondern nur harter Eiter, also nichts.

Jochen und seine Frau hatten schon unschöne Jahre hinter sich. Sie waren einige Jahre vor diesen Ereignissen mit einer Reisegruppe zum Skifahren nach Jugoslawien gereist. Das war zwar nicht für jeden möglich, aber Jochens Betrieb hatte das befürwortet, und so zogen die beiden los. Sie hatten aber den Hintergedanken, dabei die Republiken zu wechseln. Jochens Bruder wohnte im Westen, und mit ihm war alles bis aufs Kleinste geplant. Bei einer solchen Reise durfte sich niemand weiter als fünf Kilometer von der Gruppe entfernen, alles andere galt schon als versuchte Flucht. In einer solchen Gruppe waren auch immer

Mitarbeiter der Stasi, die auf die Schäfchen aufpassen sollten. Also machten sich Heidi und Jochen nachts auf den Weg, der Bruder stand irgendwo bereit und sie düsten los. Dessen Daimler war immer die Zuverlässigkeit in Person, wenn man bei einem Auto von einer Person sprechen kann. Aber in dieser Nacht gab er nach hundert Kilometern seinen Geist auf und konnte nicht wieder in Gang gebracht werden. Dann kam die Polizei, kontrollierte die Ausweispapiere und brachte Heidi und Jochen zurück zur Gruppe, der Bruder musste nach der Reparatur des Wagens innerhalb von vierundzwanzig Stunden das Land verlassen. Zurück bei den anderen DDR-Bürgern galten die beiden als Republikflüchtlinge, alle Papiere wurden ihnen abgenommen. Was war nun zu tun? In der nächsten Nacht machten sie sich wieder auf den Weg, zu Fuß, sie hatten nun nichts mehr zu verlieren. Als Heidi nicht mehr weiterkonnte, steuerten sie einen Bahnhof an, um mit einem Zug in die Nähe der Grenze zu Österreich zu kommen, um dann den Grenzübertritt auf Schleichpfaden zu versuchen. Sie saßen so auf dem Bahnhof herum, keiner kümmerte sich um sie, als plötzlich einer der Polizisten, der sie am Vortag erwischt hatte, vor ihnen stand. Der hatte Urlaub und wollte zu seiner Familie fahren. Und er hatte kein Erbarmen, sondern sicher schon die Fangprämie vor Augen. Nun war alles aus. Die beiden saßen dann erst mal für vier Wochen in Ungarn in Einzelhaft, dann ging es in die DDR, Untersuchungshaft. Jochen hatte noch mit Heidi absprechen können, er würde alles auf sich nehmen, sie solle aussagen, er hätte sie zu den Aktionen gezwungen. Das klappte auch einigermaßen. Heidi kam frei, Jochen saß zwei Jahre im Knast. Dort wollte ihn auch die Stasi als Mitarbeiter einfangen, er blieb hart und verzichtete auf eine vorzeitige Entlassung, im Gegensatz zu einigen meiner früheren Freunde, die wegen ähnlicher Delikte ins Gefängnis mussten.

Nach den traurigen Ereignissen seines versuchten Selbstmordes lag nun eine schwere Zeit vor ihnen. Jochen hatte ein Gestell, mit dem er sich so leidlich bewegen konnte, aber nichts war wie früher. Nun stellten sie einen Ausreiseantrag in die BRD. Viele Menschen waren damit erfolgreich. Jochen dürfe sofort weg, teilte man mit, aber Heidi müsse dableiben. Jetzt zeigten die Behörden, was möglich war und was nicht. So ging es über Jahre. Aber eines Tages konnten sie doch ausreisen, Jochen hatte trotz schlimmer Stunden für seine Frau erreicht, dass sie in Freiheit leben konnte. Und er auch – er nahm sich das Leben.

Es gab schon einige lustige Zeitgenossen im Bereich meiner Praxis. Hoffmann, ein schon etwas älterer ehemaliger Großbauer aus Jückelberg, dem die Kommunisten Äcker und Hof genommen hatten und der nun die Schweinemast und -zucht im Ort leitete. Er war ein arbeitsamer, genügsamer Mensch, dem natürlich der Hass auf diejenigen, die ihm seinen Besitz gestohlen hatten, tief im Fleisch saß. Eines Tages hatte sich eine kleine Delegation von SED-Funktionären angekündigt, die zusammen mit dem LPG-Vorsitzenden und dem Parteisekretär der Genossenschaft die Schweinehaltung begutachten wollten. Meist bildeten sich diese Leute ein, mit ihren Kommentaren die Effektivität der Tierhaltung verbessern zu können. Hoffmann stank der Besuch gewaltig, nur konnte er dies kaum zugeben. Er erwartete die Genossen außerhalb der Stallungen an einem Auslauf für die Sauen, der mit einem Elektrozaun gesichert war. Der Strom, der durch den Draht floss, brachte zwar kein Säugetier in Lebensgefahr, erzeugte aber äußerst schmerzhafte Stöße an den berührten Stellen. Hoffmann stand also mit dem Rücken zum Draht, fasste mit der Linken beherzt zu, wobei gesagt werden muss, dass er im Rahmen einer Behandlung seines Nervenleidens mittels Elektroschocks diese als ungemein wohltuend empfunden hatte, und gab dem ersten Sekretär der Parteileitung des Kreises mit einer engelsgleichen Miene die rechte Hand. Dieser zuckte natürlich wie von einer Tarantel gestochen zurück und wusste nicht, wie ihm geschah. Blass war er geworden und fragte stotternd, was dies wohl gewesen sei. Hoffmann meinte nur, er wäre wohl versehentlich an den Elektrozaun gekommen. Ob ihm das jemand geglaubt hat, konnte nicht festgestellt werden, aber als er mir dies später erzählte, habe ich herzlich gelacht.

Ähnliches, aber mit fatalerem Ausgang, berichtete mir unser für die Technik zuständiger Meister in der Schweinezuchtanlage Langenleuba, Arno Hering. Der wohnte früher mal für einige Zeit in Leipzig, und just in dieser Zeit wurde eine große Kampagne gegen den Einfluss des Westfernsehens gestartet. Trupps von aufgehetzten FDJlern zogen durch die Wohngebiete, schauten auf die Dächer und rissen die Antennen, die gen Westen gerichtet waren, brutal ab, ohne dass die Besitzer etwas dagegen unternehmen konnten. Sie klingelten auch bei Arno Hering, fragten noch, ob er nicht sofort die Antenne verschrotten wolle, und als er dies verneinte, stiegen sie aufs Dach, um es selbst vorzunehmen. Hering war wütend, und er zog die Pole des Fernsehkabels aus dem Fernseher und steckte sie in die elektrische Steckdose. Die Wirkung war durchschlagend. Zwei der Kerle auf dem Dach bekamen einen gewischt, einer lag kurzzeitig am Boden bzw. auf dem Dach, der andere wäre um ein Haar ganz vom Dach geflogen. Und das bei 15 Metern Höhe! Das Ende vom Lied war eine verschrottete Antenne, das kleinere Übel, und drei Jahre Haft für Arno wegen versuchten Totschlags.

Unsere zweite Wohnung in Langenleuba war ziemlich mies, das Schlafzimmer unterm Dach, alles andere Parterre. So mussten wir morgens und abends immer durchs ganze Haus wandern, in dem noch zwei weitere Familien wohnten, und hatten besonders in den Morgenstunden oft das Glück, dass irgendein Bäuerlein vor unserer Wohnungstür stand und klingelte, während wir uns noch quasi außerhalb im Schlafzimmer bzw. auf der Treppe befanden. Also begrüßten wir den Kunden im Schlafanzug, was immer zu Heiterkeitsausbrüchen seitens des Besuchers führte. Die Situation war besonders im Winter schlimm, zumal sich die Toilette als Trockenklo auf dem Hof befand. Die Klobrille war bei strengem Frost oft von einer Eisschicht bedeckt. Und so war ich ziemlich erfreut, als wir ein Angebot von einem Kreistierarzt weitab von Langenleuba erhielten. Zur dortigen Praxis gehörte auch ein Einfamilienhaus und alles sah recht gut aus. Ich sollte auch gleich meine Kündigung einreichen, damit es in drei Monaten losgehen konnte. Das mit der Kündigung legte ich erst mal auf Eis, um mich nach allen Himmelsrichtungen abzusichern, wenn es überhaupt etwas abzusichern gab.

Regina war mit Bert mal für einige Tage bei ihren Eltern und ich hatte Lust auf einen Ausflug mit meinem Freund Herrmann aus Gera. Per Telefon verabredeten wir einen Termin, an dem wir in Jena in den dortigen Studentenclub gehen wollten. Aber es war schwer, für diesen Club Karten zu bekommen. Also musste Friedrich, ein Armeearzt und Freund von Herrmann in die Spur, um da etwas Positives zu erreichen. Was wir nicht wussten, Friedrichs Bruder war Offizier bei der Stasi in Jena. Über den managte Friedrich das Ganze, und wir bekamen ohne Probleme die Plätze in dem angesagten Club. Wie der Zufall und das Leben so spielen, ich ahnte nicht, welche Verwicklungen das alles auslösen würde. Der Chef des Clubs hatte uns einen Tisch in der äußersten Ecke zugewiesen, für uns war dies in Ordnung und wir hatten einen schönen Abend. Aber im Nachhinein wurde es mir klar, so konnte er seinen Gästen einen Warnhinweis zukommen lassen: Vorsicht, da hinten sitzen lauter Stasileute. Von all dem ahnte keiner von uns etwas. Ich entdeckte an der Bar einen ehemaligen Kommilitonen, der bei Jenapharm arbeitete und später mit Anabolikaentwicklungen in Verbindung gebracht wurde. Freudig steuerte ich auf ihn zu, fragte nach diesem und jenem und sagte ihm, dass ich eine neue Praxis in Aussicht hätte bei einem Kreistierarzt, dem er verwandtschaftlich verbunden wäre. Hätte ich's nur nie gesagt, besser, wäre ich nur zu Hause geblieben.

Es vergingen keine acht Tage, da klingelte das Telefon und mein Chef in spe war dran, es gäbe plötzliche Probleme mit der Praxisneugründung, ich hätte hoffentlich noch nicht gekündigt. Das ging in Abständen so weiter. Nichts mit schönem Haus. So langsam dämmerte es mir. Obwohl die Kreistierärzte fast alle Genossen der SED waren, wollten sie sich nicht so eine Stasilaus in den Pelz setzen. Das sagte keiner, aber die Reaktion sprach für sich. Dabei war es nur eine Verkettung unglücklicher Umstände, aber das konnte ich ja keinem erklären. Also blieben wir in Langenleuba, bis zum heutigen Tag.

Mein Dienstwagen war wieder einmal kaputt. Ich wollte ihn in eine Werkstatt nach Waldenburg bringen, etwa fünfzehn Kilometer von unserem Ort entfernt. Meine Veterinärtechnikerin Frau Gerth fuhr einen Saporoshez, ein etwas eigentümliches Auto, das man auch scherzhaft „die Rache Chruschtschows“

nannte. Es war klein, sah irgendwie knuffig aus, war einem westdeutschen NSU nicht unähnlich, hatte den Motor im Heck und verbrauchte eine Unmenge an Benzin. Für die russische Tundra ausgerüstet besaß er eine extra Benzinheizung, die auch funktionierte, aber nicht steuerbar war. Deshalb herrschten bei deren Gebrauch bald Temperaturen im Inneren des Wagens wie am Äquator, es war nicht zum Aushalten. Mit diesem Gerät wollten wir nun meinen Moskwitsch zur Werkstatt schleppen. Ich suchte vergeblich nach einer Öse oder etwas Ähnlichen, um das Abschleppseil am Sapo zu befestigen. Vielleicht habe ich nicht genau hingeschaut, aber ich fand nichts und machte deshalb eine Schlinge um die Hinterachse. Das ging ganz gut, das Seil saß fest und konnte nun am abzuschleppenden Wagen angebracht werden.

Die ersten Kilometer verlief alles glatt, ich saß vorn im Sapo, Frau Gerth hinter mir im Mossi. Plötzlich, es ging eine etwas abschüssige Straße hinab, sah ich im Rückspiegel, wie meine „Hinterfrau“ mit irrer Geschwindigkeit immer näher kam. Ich gab daraufhin noch mehr Gas, fuhr auch schneller, aber alles half nichts. Mit weit aufgerissenen Augen knallte sie mir ins Heck. Ich fragte aufgeregt, warum sie denn immer schneller gefahren wäre, obwohl ihr Motor überhaupt nicht gestartet war, sie wusste vor Schreck auch keine Erklärung. Was war geschehen? Die Hinterachse des Sapos lief frei, ohne eine schützende Ummantelung, und drehte sich natürlich als Heckantrieb immer mit. Das Seil zog sich irgendwann fest, wickelte sich auf und zog die arme Frau Gerth mit unwiderstehlicher Gewalt meinem Wagen entgegen, bis es knallte. Die Schäden waren überschaubar, und irgendwie haben wir die Karren noch bis zur Werkstatt gebracht.

Als Staatspraktiker konnte sich niemand gewissen gesellschaftlichen Verpflichtungen entziehen, was heißen soll, wir mussten auch ungeliebte, vom Staat geforderte Dinge tun. Eines davon war die Zivilverteidigung. Hier ging es darum, bei einem eventuellen kriegerischen Angriff mit Atom- und Chemiewaffen die entsprechenden Maßnahmen in den betroffenen Tierhaltungen zu ergreifen. Wir nannten uns „Tierärztliche Kontrolltrupps“ und sollten nach einem solchen Angriff feststellen, ob eine radioaktive oder chemische Verseuchung stattgefunden hatte. Dazu musste jede Praxis einen Truppführer, einen radiologischen und einen chemischen Kontrolleur stellen. Das Schwierigste war, überhaupt Leute dazu zu überreden, hier mitzumachen. Neben dem Leiter der Praxis und manchmal einem Veterinärtechniker oder -ingenieur, die dem Rat des Kreises unterstellt waren und keine Chance hatten, Nein zu sagen, mussten nun noch Leute aus den landwirtschaftlichen Genossenschaften gefunden werden, damit der Trupp einigermaßen funktionieren konnte. Etwa zweimal pro Jahr fand eine größere Übung statt, deren Termin uns immer unbekannt bleiben sollte. Aber da die Kreistierärzte auch daran gemessen wurden, wie ihre Untergebenen funktionierten, lancierten sie meist einen Tag vorher eine Meldung an uns.

Obwohl wir mit unserer Truppe mindestens einmal im Monat üben sollten, schob zumindest ich diese Übungen immer vor uns her. Mit anderen Worten, wir übten nie. Eines Tages bekam ich die Nachricht, dass am nächsten Tag ein Einsatz bevorstehen würde. Schnell informierte ich meine Mitstreiter, Roswitha Gerth, meine fleißige Helferin, und die beiden Schweinemeister aus Neuenmörbitz, Günter Berger und Harry Reimann. Abends trafen wir uns alle bei Berger, um im Schnelldurchlauf noch mal unsere Geräte zu beschnuppern und einige Fragen zu klären. Da auf solchen Treffen mit Berger und Reimann auch immer viel Bier und Unmengen von Schnaps zur Verbesserung der Lernfähigkeit den Weg in unsere Mägen fanden, gestaltete sich der Abend zwar durchaus lustig, aber mit nur mäßigem Lernergebnis. Gegen Mitternacht verließen Frau Gerth und ich die beiden.

Am nächsten zeitigen Morgen so gegen fünf klingelte das Telefon. Die ungeliebte Stimme meines Chefs knarzte etwas, das wie „Einsatzbereitschaft herstellen“ klang. Das bedeutete, meine Truppkameraden in möglichst kurzer Zeit ins Auto zu laden, um dann wieder beim Kreistierarzt anzurufen, die Bereitschaft zu melden und den Ort unseres Einsatzes zu erfahren. Berger hatte kein Telefon. Also rief ich bei Reimann an. Dessen Frau war am Telefon bzw. noch im Bett und ich sagte ihr, sie solle Harry aufwecken und ihn zu Günter schicken, in zwanzig Minuten wäre ich dort und würde die beiden aufsammeln. Als ich da ankam, war von niemandem etwas zu sehen. Ich hatte erst bei Berger Halt gemacht, der war gerade aus den Federn gekrochen und wusste von nichts. Reimann musste erst wach gemacht werden. Seine Frau hatte ihn neben sich im Bett vermutet nach meinem Anruf, aber er saß am Küchentisch und schlief seinen Rausch aus. Er und Berger hatten am Abend vorher noch weiter gesoffen. Als Harrys Frau ihren Mann weckte und sagte, wir hätten Alarm und der Tierarzt käme gleich vorbei um ihn abzuholen, meinte er, sie solle jemand anderen verarschen, zog sich aus und ging ins Bett. Mit arger Verspätung konnte ich nun unsere Einsatzbereitschaft melden, wobei von einer Einsatzbereitschaft nichts sichtbar war, die beiden hingen wie nasse Säcke in den Polstern meines Mossis und waren drauf und dran, wieder einzuschlafen.

Die Übung wurde eine einzige Katastrophe. Nicht nur dank unseres Erscheinungsbilds, da unterschieden wir uns kaum von den anderen Trupps. Denn unsere „Schutzkleidung" bestand aus Gummistiefeln, die wir bei unserer Arbeit in den Ställen ja sowieso brauchten, einem Arbeitskittel in irgendeiner Farbe und einer Gesichtsmaske mit einem Schlauch zum Kampfmittelfilter, den wir immer so anbrachten, dass genügend Luft leicht geatmet werden konnte, also nicht aufschraubten, sondern nur neben dem Filter in der dazugehörigen Tasche ablegten. Auch in dem Stall, der sowohl radioaktiv wie auch mit chemischen Kampfstoffen kontaminiert sein sollte, ging es so einigermaßen, unser Geigerzähler schlug aus und auch das Kampfstoffimitat fanden wir, nachdem uns ein vor uns gestarteter Trupp alles heimlich berichtet hatte. Aber die theoretischen Fragen, die uns unser geliebter Kreistierarzt stellte, konnten meine Mitstreiter nur ungenügend bis völlig falsch beantworten. Eines tröstete uns aber: Der KTA hatte ein Heft auf den Knien liegen und musste, genauso wie ich früher in der Oberschule beim Spicken, alles erst ablesen, bevor die Fragen kamen. Mit den Antworten war es das Gleiche. Es änderte sich aber nichts an der Fehlerquote der Antworten. Aber was soll es. Wir waren neun Trupps, später nur noch drei, und da in der DDR gern auch Auszeichnungen verliehen wurden, erhielten auch wir manchmal eine Urkunde für gute Arbeit in der Zivilverteidigung.

So ging dies Jahr für Jahr, bis ich mal die Nase so voll hatte und aus Gesundheitsgründen meine Arbeit in der Zivilverteidigung aufkündigte. Mir war eingefallen, dass eine Gummiallergie doch ein Grund dafür sei, keine dieser scheußlichen Masken mehr aufsetzen zu müssen. Ich hatte natürlich nie eine solche Allergie, aber alle glaubten dies. Unser neuer Kreistierarzt Peter Wittig zog die Nase kraus, als ich ihm dies mitteilte, und fragte ziemlich angesäuert, was ich denn wohl machen wolle, wenn eine Atombombe falle. Ich antwortete, ich würde mit meiner Familie im Sessel sitzen, eine Flasche Whisky aufmachen und mich betrinken, um dann einen Tag eher als er zu sterben. Das kam natürlich wieder mal nicht gut an.

An unserer Wohnungssituation hatte sich nichts geändert. Bert war inzwischen fünf Jahre alt, sieben Jahre arbeiteten wir schon in der Praxis. Regina war als Praxishilfe angestellt, um einen reibungslosen Ablauf meiner Arbeit zu gewährleisten. Dafür gab es ein Gehalt, das den Namen nicht verdiente, die heutige Rente von dreihundert Euro verdeutlicht dies ziemlich genau.

Anfang der Siebzigerjahre wurde ein Programm zur Förderung des Eigenheimbaus ins Leben gerufen. Man ging davon aus, dass durch viel Eigeninitiative und Schwarzarbeit, als „Nachbarschaftshilfe" verklärt, viele Probleme im Wohnungsbau, besonders auf dem Lande, gelöst werden könnten. Auch wir waren mit von der Partie. Es gab sechzigtausend Mark Kredit, mit dem musste man auskommen, egal wie man es anstellte. Also viel Eigenleistung und eigenes Geld, Letzteres war bei dem Lohngefüge kaum vorhanden. Das Schwierigste war die Beschaffung der Baumaterialien. Es gab zwar eine Stelle beim Kreisbauamt, die eine schriftliche Freigabe für Sand, Steine, Zement, Holz, Fliesen und alle anderen Dinge, die in und zu einem Haus gehören, genau für den dazugehörigen Haustyp herausgab, aber in Wirklichkeit bekam man fast alles nur über Umwege, Schmiergelder, Beziehungen oder gar nicht.

Was sind wir von Tischlerei zu Tischlerei gefahren, um Fenster zu bekommen. Nur weil meine Frau bei einem der ortsansässigen Handwerker stur geblieben war und sich nicht von der Stelle gerührt hatte, bis der Tischler selbst am Verzweifeln war, klappte es mit den Fenstern. Die Beschläge besorgten wir uns aus West-Germany, denn die hier angebotenen Fensterknäufe und Kippmechanismen waren kaum zu gebrauchen. Die regelmäßigen Besuche in der CSSR, ob in Prag bei unserer Freundin Maria oder beim Wintersport in Jasna, wurden gleichzeitig zur intensiven Suche nach Dingen für unser Haus benutzt. So kam es schon mal vor, dass wir mit einigen Quadratmetern Fliesen zwischen den Sitzen und einem Auto, welches die Belastungsgrenze seiner Federung weit überschritten hatte, den Weg nach Hause antraten.

Vieles haben wir mit eigenen Händen geschaffen, fast jeder Stein wurde getragen. Als ein Bagger der LPG die Baugrube ausgehoben hatte und wir die Gräben für die Fundamente mühsam aus dem Lehmboden geschaufelt hatten und für den nächsten Tag Fertigbeton für die Fundamente bestellt war, regnete, nein, goss es die ganze Nacht hindurch. Die Baugrube stand voller Wasser, natürlich kam der Fertigbeton und lag als ansehnlicher grauer Haufen auf dem Grundstück. Es war Samstag, keiner hatte Lust, für uns das Wasser abzusaugen. Endlich erbarmte sich ein Güllefahrer einer LPG, mit seinem Fahrzeug die Arbeit in Schlamm und Wasser aufzunehmen. Der Beton wurde gottseidank nicht so schnell trocken, und so konnten die Fundamente noch verfüllt und gestampft werden. So einfach wie heute, wo diese Arbeiten mit Flüssigbeton gegossen werden und der Bauherr, wenn überhaupt anwesend, nur zuschaut, war das damals nicht.

Unser Haus wuchs von Wochenende zu Wochenende. Der Maurer hatte nur samstags und sonntags Zeit und verdonnerte uns dazu, wenn er ein Stockwerk fertig hatte, die Decken selbst oder mit anderen Helfern zu verlegen. Es mussten auch sogenannte Podeste gegossen werden. Das sind freitragende Betonteile, zum Beispiel im ersten Stock vorm Bad und den anderen Zimmern. Hier war ein relativ kompliziertes, in der Bauzeichnung genau vorgeschriebenes Geflecht aus einer Stahlarmierung einzubauen.

Dazu wurde erst mal aus Schaltafeln und Stützen ein belastbarer Untergrund geschaffen, der dann nach Einbringen des Baustahls und dem Vergießen mit Beton und nach Aushärten des Letzteren wieder entfernt werden konnte. Regina stand oben im ersten Stock, ich machte Beton am Mischer und kippte und schaufelte das Zeug auf ein Förderband, das alles nach oben brachte. Nach einer gefühlten Ewigkeit und Unmengen von hinaufgefördertem Beton rief ich entnervt, ob denn das Podest nicht endlich voll sei. Regina, die immer wieder die Masse zwischen dem Stahlgerippe verteilt hatte, verneinte meine Anfrage. Ich wollte nun selbst nachschauen und ging zur Leiter, die nach oben führte. Und da sah ich die Bescherung. Meine Holzkonstruktion hatte nachgegeben, statt einer Dicke von etwa vierzig Zentimetern war das Podest jetzt einen knappen Meter dick. Was konnte ich tun? Alles wieder rauskratzen hätte ewig gedauert und war wegen des geflochtenen Stahls kaum möglich. Ich konnte nur eine Stütze wegschlagen und blitzschnell in einen Raum mit intakter Decke flüchten. Also ein Schlag – ein Sprung. Gesagt, getan. Der Pfosten flog weg, ich hob zum Sprung an, wurde aber schneller als ich denken konnte von einer Lawine aus Zement, Sand und Wasser übergossen. Wenn ich so stehen geblieben wäre, hätte Regina eine schöne Figur aus Beton für den späteren Garten gehabt. Passiert war mir nichts weiter, ich spülte alles ab und die ganze Arbeit konnte von vorn beginnen. Das Podest hält immer noch!

Oft werkelten wir bis spät in den Abend hinein, besonders dann, wenn wieder einmal vorbereitende Arbeiten für einen Handwerkereinsatz gemacht werden mussten. Eines Abends so gegen zwanzig Uhr waren Regina und ich beim Lackieren unserer nun endlich fertigen Treppenstufen aus Eiche, auf die wir lange gewartet hatten und die nun auf das Stahlgerüst Richtung Obergeschoss geschraubt werden sollten.

Unseren Dienstmoskwitsch hatten wir mit der Schnauze voran an einem Sandhaufen abgestellt, den Schlüssel aber stecken gelassen, da die Straße recht eng war und der Fahrer eines größeren Fahrzeugs dann schnell meinen Wagen zur Seite hätte chauffieren können. Beim übernächsten Nachbarn hörten wir, wie jemand einen Trabi starten wollte und so lange die Zündung einschaltete, bis die Batterie den Geist aufgab. Wir machten uns noch über diesen ungeschickten Menschen lustig, als plötzlich mein Wagen gestartet wurde, losfuhr und nicht wieder kam. Er war weg. Zugegeben, ich hätte den Schlüssel nicht stecken lassen dürfen, aber bei uns klaute niemand, zumindest bis dahin. Der Wagen war Richtung Wald verschwunden, und ich musste irgendwie hinterher. Schnell rief ich bei meiner Helferin an, die etwa fünf Minuten entfernt von uns wohnte, und bat sie, mir ihren Dienstwagen zu bringen. Von unserem Haus führt nur eine Straße direkt in den Wald, nach etwa dreihundert Metern kommt eine Kreuzung, an der man sich entscheiden muss: rechts tiefer in den Wald oder links aus dem Wald heraus. Ich nahm den Weg nach rechts und fand mein Auto nach fünfhundert Metern im Straßengraben liegend, fast ohne Verletzung, der Schlüssel steckte noch, aber aus dem Handschuhfach waren das Tankscheckheft und einige minderwertige Dinge verschwunden. Ein durchdringender Geruch nach Zigarettenqualm Marke „Machorka", das sind diese in Eigenregie hergestellten russischen Glimmstängel, die aus speziellem Tabak und in das Papier der „Prawda" (russische Zeitung) eingerollt werden, bestätigte meinen Verdacht, dass sowjetische Soldaten vom nahen Flugplatz die Übeltäter gewesen waren.

Ich fuhr schnell zum Flugplatz, aber der diensthabende Offizier wollte anscheinend mit der ganzen Sache nichts zu tun haben und wimmelte mich ab. Mein Nachbar, der ein ABV, ein Abschnittsbevollmächtigter der Volkspolizei war, machte auch keinen glücklichen Eindruck, als ich den Diebstahl meldete. So musste er nun Meldung machen bei der Kripo in Altenburg und faselte am Telefon etwas von: „Sowjetische Genossen haben den Dienstwagen von unserem Tierarzt unberechtigt benutzt." Ich grunzte in mich hinein: „Russen haben ihn geklaut."

Das Theater begann aber mit dem Eintreffen der Kripo. Ich wurde über eine Stunde lang mitten in der Nacht befragt, und am Ende hätte ich am liebsten zugegeben, den Diebstahl selbst begangen zu haben. Am nächsten Tag zogen wir das Auto mithilfe eines Traktors aus dem Straßengraben, die Polizei suchte weder Spuren noch irgendwas anderes. Mein Tankscheckheft tauchte nie wieder auf.

Der Staat förderte die individuelle Tierhaltung. Das nahm zwar manchmal geradezu groteske Formen an, wenn zum Beispiel für abgelieferte geschlachtete Kaninchen mehr bezahlt wurde, als sie dann beim Verkauf für den Endverbraucher kosteten. Immer seltener wurden aber Großtiere wie Kühe privat gehalten, da waren der Pflegeaufwand und die Futterbeschaffung doch zu umfangreich. Einer, der sich noch zwei Kühe hielt, war der Gärtner Bruno Georgi, ein etwas verschrobener, kauziger, aber an vielen Dingen auch außerhalb seiner Welt interessierter Mensch. Mit ihm konnte ich stundenlang über alles Mögliche diskutieren, und dabei funkelten seine hinter dicken Gläsern verborgenen Augen immer in jugendlichem Glanz. Seine Kuh Agathe hatte eine entzündete Gebärmutter. Ich sollte eine Spülung durchführen und bereitete meine große Janetspritze, die Spülflüssigkeit und den Metallkatheder vor. Georgis Tiere standen in einem engen Stall auf einem Holzpodest, welches auch noch äußerst rutschig war, und der Abstand zwischen dem Hinterteil der Kühe und der Stallwand betrug nur etwas über einem Meter.

Ich nahm den Schwanz der Kuh zur Seite, wusch deren Hinterteil sauber und wollte mit meinem handschuhbewehrten linken Arm zwecks Fixation des Gebärmutterhalses in das Rektum eindringen, wie dies eine hundertfach geübte Methode darstellte. Aber kaum hatte ich mit meinen Fingern den äußeren Muskelring berührt, bog die Kuh ihren Kopf zur Seite, guckte mich tückisch an und feuerte ihr linkes Bein in meine Richtung. Gut gezielt, genau die Klaue auf meinen Oberschenkel. Ich flog zur offenen Stalltür hinaus, zu dem Schmerz kam noch die Wut über solch respektloses Verhalten. Getoppt wurde noch alles, als Georgi meinte, Agathe hätte es doch überhaupt nicht böse gemeint, sie sei eigentlich immer so lieb. Dabei hatte sie ihm beim Melken mal einen Hieb versetzt und damit eine üble Schulterprellung verursacht.

Ich musste die gleiche Übung noch einmal machen, irgendwie gelang dann die Behandlung. Agathe konnte auch wieder erfolgreich besamt werden und sah bald Mutterfreuden entgegen. Dass die Geburt wieder ein kleines Drama werden sollte, ahnte noch niemand. Aber der Tag der Niederkunft dieser Kuh kam, und natürlich wieder einmal mit Komplikationen. Wir hatten gerade Besuch vom Armeearzt Friedrich mit seiner Frau, es war schon spät am Abend, da klingelte das Telefon in einer aufreizenden Art, die nichts Gutes verhieß. Agathe brachte ihren Nachwuchs nicht selbst zur Welt. Friedrich wollte unbedingt mit und sich alles ansehen, dabei hatte er weder Stiefel noch alte Sachen an, um sich bei einer eventuell nötigen Hilfeleistung nicht zu beschmutzen.

Bei dem Kalb war ein Hinterbein eingeknickt, ich konnte es aber nach einigen Bemühungen erfassen und berichtigen, und dann zogen Friedrich, Georgi und seine Tochter an den Stricken, die ich um die Beine gelegt hatte. Das Kalb war geboren. Ich untersuchte das Tier erneut, und es war noch ein großes Kälbchen zu ertasten. Nachdem wir auch den Zwilling entbunden hatten, war ich erst mal sprachlos, es wollte noch ein drittes Kalb auf die Welt. Friedrich war inzwischen vom herumspritzenden Fruchtwasser ordentlich versaut, aber erstaunlicherweise nicht sauer darüber, sondern irgendwie glücklich, so etwas mitgemacht zu haben. Leider wurden zwei Kälber tot geboren, aber der Mutter und dem ersten Kälbchen ging es ausgezeichnet.

Bruno Georgi war so um die achtzig Jahre alt, als dann das Unglück passierte. Er wollte nach dem Wasserstand in einem brunnenähnlichen Behälter schauen, schob die Abdeckplatten beiseite und beugte sich weit in den Brunnen hinein, um mit seinen sehschwachen Augen in der Dunkelheit etwas zu entdecken. Dabei verlor er das Gleichgewicht und rutschte in den Behälter, konnte sich mit den Händen und Armen noch eine Weile abstützen, das Wasser stand nur etwa fünfzig Zentimeter hoch, aber da keine Hilfe in der Nähe war, verlor er immer mehr von seiner Kraft, der Kopf sank ins Wasser und er ertrank auf jämmerliche Weise.

Kaum begann die kältere Jahreszeit, hatten die Hausschlachtungen Hochkonjunktur. Schweine wurden in größerem und kleinerem Umfang individuell gehalten, für die einen zur Aufbesserung der Haushaltskasse, für andere, um bei einem zünftigen Schlachtfest Wurst und Fleisch für den eigenen Bedarf zu produzieren. Für uns Tierärzte bedeutete dies Arbeit an den Wochenenden, meist zu unchristlichen Zeiten in der Frühe, aber es gab trotz relativ geringer Gebühren für die Fleisch- und Trichinenschau fast immer auch ein kleines Paket mit frischer Wurst. Die Gebühren mussten wir abführen, die Wurst konnten wir uns schmecken lassen. Die sogenannten Hausschlächter waren oft auch im richtigen Beruf Fleischer, aber manch einer hatte sich diese Fähigkeiten angeeignet und machte seine Sache an den Wochenenden mehr oder weniger gut, obwohl er die Woche über in einer völlig anderen Branche tätig war.

Ariane, eine unserer Veterinärtechnikerinnen, stammte aus einer Bauersfamilie, die Mutter war Vorsitzende einer LPG, der Vater schon Rentner, und die zwei Schwestern und der Bruder hatten auf die eine oder andere Art auch mit der Landwirtschaft zu tun. Und sie hielten sich einige Schweine in ihrem Stall. Ich fragte, ob wir eines von den Tieren kaufen könnten, da wir uns auch mal mit dem Hausschlachten versuchen wollten. Die Mutter meinte, wir sollten uns, wenn wir wollten, an der Schlachtung bei ihnen beteiligen, da für uns als kleine Familie ein ganzes Schwein doch wohl zu viel sein würde. Das klang recht gut. Also ging es zwei Wochen später los, morgens gegen sechs Uhr wurde die arme Sau getötet, das ganze Prozedere zu beschreiben erspare ich mir.

Bei den Hausschlachtungen gab es das ungeschriebene Gesetz, dem Fleischer seinen schon sehnsüchtig erwarteten Schnaps erst dann zu geben, wenn die Würste gebrüht aus dem Kessel gefischt sind. Petzolds, das war die Familie, die das Schwein schlachtete, hatten einen Fleischer engagiert, der für seine Liebe zu allen Getränken bekannt war, die einen hohen Prozentsatz an Alkohol enthielten. Reiner, der zukünftige Schwiegersohn, Sohn Arbit und ich halfen beim Zerlegen des Tieres und bei allen anfallenden Arbeiten, waren aber auch nicht abgeneigt, unsere Kräfte durch große Schlucke Wodka zu regenerieren. Da der Fleischer immer so traurig zuschauen musste, brachten wir es nicht übers Herz, ihn nicht an unserem Genuss teilhaben zu lassen. Und so kam es, wie es kommen musste: Wir wurden immer lustiger, der Schlachter immer besoffener. Die Würste brachte er zwar gerade noch zustande, legte sie auch einigermaßen behutsam in den Kessel mit dem heißen Wasser, aber dann musste bei ihm doch einiges aus dem Takt gekommen sein. Wir hatten wenig Ahnung, wie das Ganze weitergehen sollte, fragten, ob und wie viel Holz wir ins Feuerloch des Kessels geben sollten, aber angesichts nur unverständlich gemurmelter Anweisungen legten wir kräftig nach, die Suppe wallte und kochte. Am Ende waren fast alle Würste geplatzt. Die große, in den Magen gefüllte Sülzwurst sah statt kräftig und prall jetzt schlapp und irgendwie krank aus. Ich nahm es von der lustigen Seite, trank noch ein winziges Schlückchen Hochprozentiges und holte aus meiner Praxiskiste Nahtmaterial, Nadel und Nadelhalter und machte trotz meines Zustandes eine einstülpende Naht wie an einem Uterus nach Kaiserschnitt.

Die arme Hausherrin war am Ende. Sie sauste nur von hier nach dort, alles lief aus dem Ruder. Aus dem Westen war noch Besuch gekommen, der Bruder ihres Mannes mit Frau, und die saßen am Tisch, fein gekleidet, und ließen sich bedienen. Ach, ein Schlachtfest ist doch so schön.

Regina und ich fuhren gegen Abend nach Hause, hatten eine Milchkanne mit Wurstbrühe mitgenommen und erholten uns von den Anstrengungen. Am nächsten Morgen kam Ariane zu uns, wir saßen gerade beim Frühstück und ließen uns die göttliche Wurstbrühe schmecken. So eine tolle Suppe haben wir nie wieder genießen können, bei späteren Schlachtungen waren ja auch nicht so viele Würste geplatzt. Ariane fragte, ob sie auch eine Tasse bekommen könne. „Kein Problem", erwiderte ich, „aber ihr habt doch einen ganzen Kessel voll zu Hause." Sie heulte bald. Nein, sie hätten vergessen, das Feuer unter dem Kessel zu löschen. Die Wärme über viele Stunden hatte dazu geführt, dass die Suppe sauer wurde, ungenießbar. Alles musste vernichtet werden. Und die Wurstmasse, die den Weg in Gläser gefunden hatte, konnte man auch kaum mit Genuss essen, denn unser versoffener Fleischer hatte alles völlig versalzen.

Später haben wir mit Freunden fast in jedem Jahr ein Schwein gekauft und geschlachtet. Endlich hatten wir einen Fleischer, der eine Wurst machen konnte, wie wir sie vorher noch nie gegessen hatten. Ob Blut-, Sülz- oder Leberwurst, alles war ein absoluter Genuss. Und sogar Jagdwurst und Wiener Würstchen stellte er her – dass wir nicht fett geworden sind in dieser Zeit, grenzt an ein Wunder.

Unsere Freunde aus Leipzig besorgten handliche Dosen und Deckel aus Metall, ein Melker aus meiner Praxis besaß eine Maschine zum Verschließen derselben, und so konnten die fertigen Produkte auf unseren Campingtouren im Sommer mitgenommen werden, ohne Schaden zu nehmen, wie es bei Gläsern sonst oft passiert.

Im Schweinestall war die Hölle los. Hunderte der neugeborenen Ferkel starben nach kurzem intensivem Durchfall. Wir hatten die TGE, die Transmissible Gastroenteritis, im Bestand, woher sie kam, konnte keiner sagen. Eine Therapiemöglichkeit für die Ferkel bestand nicht. Auch wenn wir mit Traubenzuckerlösungen und anderen Medikamenten versuchten, einige Ferkel zu retten, half meist alles nichts; die Neugeborenen, und das waren so um die dreihundertfünfzig in der Woche, starben wie die Fliegen.

Die einzige Möglichkeit, später Geborene zu schützen, war eine Muttertierimpfung. Den Impfstoff gab es nur über die Reserve beim Bezirkstierarzt. Dort rief ich an, denn mein Kreistierarzt hatte immer noch kein Telefon in seiner Privatwohnung, was sich heute keiner mehr vorstellen kann. Der Stellvertreter des Bezirkstierarztes kam dann auch sofort nach Abklärung der Diagnose, machte mit mir einen Stalldurchgang und besprach die Einzelheiten der seuchenhygienischen Absicherung der Anlage, immerhin mit über eintausend Sauen, die dann am kommenden Tag erfolgen sollte.

Ich impfte die infrage kommenden Tiere bis kurz vor Mitternacht. Als ich dann zu Hause gerade ins Bett gehen wollte, klingelte das Telefon. Die Staatssicherheit Altenburg war am Apparat. Die hatten nun auch von dem Seuchenausbruch gehört und wollten, dass ich mich in einer Stunde mit ihnen an der Anlage treffen sollte, um zu zeigen, wie die Absicherung erfolgt sei. Als ob irgendjemand in der Nacht einen Zaun um das Gelände ziehen konnte. Nun ja, mit Zäunen hatten die ja ihre Erfahrung. Ich war wütend und sagte, ich hätte bis jetzt die Tiere geimpft und würde nun ins Bett gehen, wenn sie etwas wissen wollten, sollen sie am kommenden Tag um neun Uhr zur Beratung mit allen Verantwortlichen in der Anlage sein. Ich legte auf. Aber die Genossen von Horch und Guck waren etwas angefressen von solcher Dreistigkeit und meldeten den Vorfall dem zuständigen Ministerium in Berlin, mit der Bitte, den zuständigen Tierarzt zu bestrafen, also mich. Das Ministerium wiederum wies den Bezirkstierarzt per Fernschreiben an, mich zu bestrafen. Dieser war ein ultraorthodoxer Kommunist, aber ein hervorragender Fachmann auf dem Gebiet der Tiermedizin, rückte in einem Gespräch mit dem zuständigen Minister alles ins rechte Licht und ich kam unbeschädigt aus der Sache raus.

Bei der Besprechung am Tag danach sagte der anwesende Stasifritze kein Wort und lächelte nur blöde vor sich hin. Und sein Gutes hatte die Angelegenheit auch noch, Kreistierarzt Wittig sollte nun den lange versprochenen Telefonanschluss bekommen.

Der Bezirkstierarzt kam noch zum Frühstücken zu uns nach Hause. Ich nutzte die Gelegenheit, meine Chancen für einen Afrikaeinsatz auszuloten. Martin Pufe war schon seit zwei Jahren in Tansania und schrieb dann und wann eine Karte, die mein Fernweh verstärkte. Ich fragte also nach meinen Möglichkeiten und erwähnte, dass Martin uns eine Postkarte mit vier trinkenden Geparden geschickt hätte. Plötzlich veränderte sich die Miene meines Gegenübers, er fragte, wer denn Pufe sei, obwohl er mit selbigen eine postgraduale Ausbildung zum Diplomlandwirt gemacht hatte. Ich war verwirrt. Was ich nicht wusste: Martin hatte samt Frau und Kind das Land gewechselt und war schon in der Bundesrepublik angekommen. Die höheren Dienststellen waren informiert, ich nicht. Damit war die Aussicht auf Afrika gestorben. Aber ich war die Sache auch etwas blauäugig angegangen. Ich war nicht in der Partei und meine Schwester lebte im Westen. Das genügte schon, um eine Absage zu erhalten.

Das Haus wurde nun langsam fertig, einige Tage nach Weihnachten konnten wir einziehen. Den geschmückten Tannenbaum bugsierten wir irgendwie auch heil in sein neues Domizil. Im Keller lagerten nun einige Zentner Steinkohlekoks und Braunkohlebriketts, der Heizkessel funktionierte einwandfrei und bescherte uns ein mollig warmes Heim. Aber da vor allen

Vergnügungen erst einmal der Schweiß kommt, sollen die Anstrengungen nicht verschwiegen werden, die zu überwinden waren. Von Jahr zu Jahr wurde es immer schwieriger, ordentliche Kohle zu bekommen, alles war rationiert, und die Qualität wurde immer mieser. Die Kohle, oft bestand die Lieferung aus einem Haufen Dreck mit Kohlestücken, wurde am Eingang zum Garten abgekippt und musste nun in eine Schubkarre geladen werden, um fünfzehn Meter weiter über eine selbst gebaute Rutsche in den Keller geschüttet zu werden. Da sich im Keller schnell ein Hindernis bildete, musste Regina inmitten von Staub und Dreck das Zeug breitschaufeln. Wir sahen aus wie Schweine in der Suhle, nur nicht so glücklich und zufrieden.

Es gab aber auch mal zwei Jahre, wo Steinkohle aus Polen eingeführt wurde und auch Hausbesitzer wie wir davon profitieren konnten. Diese brannte vorzüglich, machte weniger Asche und hielt lange vor. Dank eines Reglers am Ofen, der genau einstellbar war, hatten wir die Möglichkeit, die Temperatur einigermaßen genau zu steuern. Der Regler kam, wie konnte es anders sein, von meinem Onkel Ottel aus dem Westen. Er versagte nur, versagen konnte man es doch nicht nennen, er machte schon alles richtig, aber beim Feuern mit Braunkohle passierte es, dass die Klappe sich schloss, weil die gewünschte Temperatur erreicht war, aber die Gase sich derart ansammelten, dass es regelmäßig zu Verpuffungen kam, die Klappen laut aufsprangen und der Keller voller Qualm war.

Natürlich brauchte so eine Heizung dauernd Futter. Nachts war dann oft im wahrsten Sinne des Wortes der Ofen aus. Also jede Menge Asche raus und wieder neu anheizen. Entsprechend kalt war es jeden Morgen. Aber so richtig gehadert hat niemand, es war doch schon ein riesiger Fortschritt gegenüber der Ofenheizung in der alten Wohnung.

Unser Wunsch, im gesamten Erdgeschoss außer der Küche Parkett zu haben, war ja auch in Erfüllung gegangen. Allerdings erst nach nervenaufreibenden Kämpfen. Von den staatlichen Stellen gab es bei solch einem Ansinnen nur ein mitleidiges Lächeln, eventuell noch mit der Bemerkung, was wir uns wohl einbilden würden. Franz Stiller, mit dem wir befreundet waren, hatte als

Bauingenieur unzählige Kontakte zu allen möglichen Gewerken und fädelte einen Deal für uns ein, damit wir zu unserem Parkett kommen konnten. Eingefädelt heißt aber nicht geliefert. Es folgten Monate des Wartens, des nach Leipzig Kutschens und der Bestechung.

Das Parkett, Eiche, abgelagert (angeblich), war rechtzeitig gekommen und wurde von einem Mitarbeiter der Firma innerhalb von drei Tagen gelegt und versiegelt. Nach einem halben Jahr, es war Mai, draußen herrschte außergewöhnlich warmes und feuchtes Wetter, bemerkte ich eine Wölbung, die sich durch das ganze Wohnzimmer zog. War es nur Einbildung oder eine Trübung meiner Linse nach zu viel Alkohol am Vorabend? Der Berg wuchs. Und nach drei Tagen hatte sich eine stattliche Erhebung gebildet, die man nur mit dem Anheben der Beine um zwanzig Zentimeter überqueren konnte. Ich rief bei der Firma an. „Ach ja, wenn Ihr Parkett ‚schüsselt', dann legen Sie mal Sandsäcke drauf und heizen tüchtig, dann müsste es wieder runtergehen."

Ich füllte vier oder fünf Plastesäcke mit Sand, so um die dreißig Kilo pro Sack, wuchtete sie auf die Erhöhungen und drehte die Heizung auf volle Pulle. Zu allem Unglück hatten wir an diesem Wochenende auch noch Besuch von Reginas Eltern, Schwester mit Schwager und zwei Kindern. Im Wohnzimmer sah es aus wie in einem Schützengraben im Krieg. Es fehlte nur noch, einer hätte gerufen: „Auf Drei sofort hinter die Sandsäcke!" Und dann diese Hitze. Alles stöhnte, nur das Parkett hatte es sich gemütlich gemacht und rührte sich nicht von der Stelle. Mit anderen Worten, der ganze Aufwand war für die Katz. Also musste der Handwerker wieder her und alles richten, mit viel Aufwand, aber bis jetzt hat es gehalten.

Beim Judo brach ich mir das linke Handgelenk. Ich bekam nach dem Richten der Knochen eine Gipsschiene verpasst und konnte fürs Erste nicht arbeiten. Nach einer Woche Kranksein hatte ich die Nase voll vom Rumsitzen und Nichtstun, und es ergab sich, dass ein neuer Kollege eine Praxis im Altenburger Raum übernehmen sollte, sich aber erst einmal mit den Gegebenheiten einer Landpraxis vertraut machen wollte. Da bot es sich geradezu an, mit mir auf Tour zu gehen, ich konnte ihm einiges zeigen, er fuhr mein Auto und arbeitete. Vierzehn Tage später, es waren drei Wochen nach meinem Unfall vergangen, entfernte ich den Gips und konnte meine linke Hand wieder einigermaßen bewegen. Jürgen Vaerst blieb noch zur Unterstützung für zehn Tage bei mir.

Eines Tages rief Bauer Uhlig aus Wolperndorf an, eine Kuh könne nicht kalben. Der Stall war relativ klein, etwa zwanzig Kühe standen dort, alles peinlich sauber. Das Ehepaar Uhlig hatte die beste Milchleistung der LPG und man merkte sofort, dass sie ihre Tiere und ihren Beruf liebten, was ja nicht alltäglich war. Die Kuh trampelte unruhig hin und her, etwas Fruchtwasser war schon abgegangen und Uhligs schauten erwartungsvoll auf Jürgen und mich.

Beim Untersuchen stellten wir ein abnorm großes Kalb fest. Also Kaiserschnitt. Ich spritzte ein lokales Betäubungsmittel entlang der Linie des späteren Schnittes, dann, nach Rasieren und Desinfizieren, schnitt ich am stehenden Tier, bis der Uterus sichtbar wurde. Nun Uterus aufschneiden und Kalb rausholen. Das gestaltete sich aber als nicht durchführbar, da das Kalb größer und schwerer war, als wir es angenommen hatten. Der erste Schnitt war zu weit oben angesetzt. Nun musste alles schnell gehen. Vaerst nähte den oberen Schnitt wieder zu, während ich weiter unten einen zweiten Schnitt ansetzte, der so tief war, dass das Kalb bald von alleine rausfallen konnte. Natürlich wurde trotzdem kräftig gezogen, das Kalb war leider tot. Alles wieder zugenäht, Mutter antibiotisch versorgt und nach dreistündiger Arbeit endlich Feierabend.

Am nächsten Tag behandelten wir die Kuh noch einmal mit den nötigen Medikamenten und machten einige Fotos vom Kalb, aber mit Jürgen daneben liegend. Er war einsachtzig groß, das Kalb einszweiundachtzig, und es wog fünfundsiebzig Kilo! Die Kuh hat alles bestens überlebt, wurde wieder Mutter und hat eine ordentliche Milchleistung gebracht.

Sehr gern sind wir zu Tierärztekongressen nach Berlin gefahren. Oft trafen wir uns dort mit befreundeten Kollegen und deren Frauen, Letztere nutzten die Tage zum Einkaufen von

Dingen, die in den Gebieten außerhalb Berlins nicht oder nur sehr schwer zu bekommen waren. Die Berliner sagten, wenn sie mal nach außerhalb fuhren, sie führen in die „Zone“, aber so war es auch, das Angebot an Waren des täglichen Bedarfs war viel umfangreicher als in der übrigen DDR. Sogar solch profane Dinge wie zum Beispiel Schweizer Käse kauften wir dort und freuten uns darüber. Es kam dann schon mal vor, dass wir ins Hotelzimmer gingen, eine Semmel mit meinem Hirschfänger aufschnitten, mit Butter bestrichen und besagten Käse probieren mussten. Mit solch kleinen Dingen konnte man Freude bringen.

Ich hatte von Berliner Freunden gehört, dass es nach langer vorheriger schriftlicher Anmeldung möglich wäre, auch im „Palast-Hotel“ in einem der dortigen Restaurants für DDR-Mark zu speisen. Normal ging dies nur mit harten Devisen. Ich setzte also ein entsprechendes Schriftstück auf, etwa sechs Monate, bevor ein Kongress stattfinden sollte, und wartete auf eine Antwort. Diese kam dann auch. Ich konnte einen Tisch für sechs Personen reservieren. Gabi und Jürgen Vaerst, Cosima und Klaus Hörügel wollten mit uns den Abend verbringen. Sie freuten sich zuerst auf das, was kommen würde, wurden aber dann am Tisch immer kleinlauter und unsicherer und fragten mich ein ums andere Mal, ob es denn auch wirklich stimmte, dass wir alles in unserer Währung bezahlen könnten. Ich wurde langsam sauer und meinte, dann hätten wir eben kein Westgeld, wenn dies verlangt würde. Wir hatten ja auch wirklich keins. Keiner der vier traute sich, etwas zu bestellen. Erst als ich fragte, ob es denn Graved Lachs gäbe, so richtig wusste ich gar nicht, was das ist, hatte aber von Axel Fischer, einem Freund aus Leipzig, gehört, dass dies gut schmecken würde. Als der Ober meinte, den gäbe es dann aber nur für Westgeld, war das Eis gebrochen und die sichtlich erleichterten Freunde bestellten und aßen nach Herzenslust. Das war so eine kleine Nische, in der wir uns wohl gefühlt haben, die uns aber auch den Unterschied klarmachte, was für uns gut zu sein hatte und was die anderen aus ihrem Leben machen konnten.

Mein Vater war gestorben, gerade mal 72 Jahre alt, und meine Mutter siedelte in die BRD zu meiner Schwester Maria nach Bensberg über. Rentner konnten ohne besondere Schwierigkeiten die Seiten wechseln, ja, dies wurde vom Staat recht gern gesehen. So sparte man sich das Zahlen der Pensionen und hatte wieder freie Wohnungen zu vermieten. Wir waren auch nicht gerade unglücklich darüber, denn nun kamen monatliche Pakete mit Dingen, die wir hier nicht kaufen konnten und die uns immer recht fröhlich machten. Auch Maria konnte, nachdem ihre Republikflucht nicht mehr als Straftatbestand gewertet wurde, mit oder ohne Familie zu Besuchen zu uns kommen.

Es war an einem feuchtkalten Osterwochenende, als sie mit Teddy, ihrem Mann, bei uns war. Ostersonntag hatten sie ein Treffen mit einer alten Freundin und ehemaligen Klassenkameradin in Leipzig ausgemacht und wollten auch über Nacht dort bleiben. Regina und ich hatten es uns gemütlich gemacht, eine Flasche Wein geöffnet, um dann zu später Stunde ins Bett zu gehen. Ich weiß nicht mehr, ob ich schon geschlafen hatte oder ob ich von den Geräuschen, die von draußen ins Schlafzimmer drangen, aufwachte. Es klang, erst von fern, dann immer näher kommend, wie Lachen, aber dann doch anders, unerklärlich. Ich lief im Schlafanzug die Treppe hinunter und öffnete das Fenster, das zur Straße lag. Draußen bot sich mir ein gespenstisches Bild. Schnee fiel vom Himmel, ein russischer Soldat mit nacktem, blutverschmiertem Oberkörper beugte sich über eine leblos im Schneematsch auf dem Boden liegende Person, ebenfalls in Uniform, und wimmerte und klagte in einem fort. Zu der Zeit hatten wir noch keinen Zaun ums Grundstück. Als der Soldat mich am Fenster erblickte, kam er sofort angelaufen und schluchzte: „Kamerad, Hospital." Ich zog mir rasch einen Anorak über und ging zu dem am Boden liegenden Mann. Was ich sah, ließ mir das Blut in den Adern gefrieren. Die rechte Brustseite zeigte eine kreisrunde Wunde, am Rücken sah ich das viel größere Austrittsloch eines Geschosses. Nun konnte es ja sein, dass irgendein besoffener Offizier im Wald versteckt auf alles schoss, was sich hier bewegte. Ich hatte Angst. Trotzdem musste die Vernunft die Oberhand behalten.

Regina hatte sich ebenfalls schnell angezogen und kam mir zu Hilfe. Zusammen mit dem Halbnackten hievten wir den Verletzten auf eine Leiter, die ich mit einem Schlafsack abgepolstert hatte, und trugen ihn erst mal in unseren Keller, der schön warm war. Immer wieder beugte sich der Soldat zu seinem Kameraden herunter und prüfte, ob der noch atmete. Er gab uns unter Tränen zu verstehen, dass er sich umbringen würde, sollte der andere sterben.

So langsam kam Licht ins Dunkel der Geschichte.

In unserem Wald wurde von auswärtigen Truppen ein Manöver durchgeführt. Die Soldaten campierten im Freien. Abends waren einige von denen in die Dorfkneipe gegangen, um ein wenig Freude, sprich Wodka, in ihr armseliges Leben zu bringen. Dabei hatten sie ihre Kalaschnikows mit scharfer Munition dabei. Was für ein Wahnsinn! Drei der Männer, gerade mal neunzehn Jahre alt, waren dann gegen Mitternacht wieder in Richtung Waldlager unterwegs gewesen. Dabei hatte der eine an seiner Maschinenpistole herumgespielt, ein Schuss hatte sich gelöst und sein Kumpel war zu Boden gefallen. Der dritte hatte sich sofort aus dem Staub gemacht, ohne zu helfen. Der Schütze warf seine Waffe weg und versuchte, mit seinen Hemden und der Jacke dem Verletzten wenigstens etwas Wärme zu spenden und schleppte ihn die Straße entlang. Er klingelte an einem Haus, etwa zweihundert Meter von unserem entfernt, und bat um Hilfe. Die Bewohner schauten sich die Sache an und sagten, er solle bis zum Tierarzt laufen, der wohne dort hinten, sie könnten nicht helfen. Was ich für das Lachen irgendwelcher Betrunkener gehalten hatte, war das Klagen des armen Kerls gewesen, der nun den Bewusstlosen die lange Strecke bis zu uns schleppen musste.

Als Nächstes weckten wir erst mal unseren Polizisten, meinen Nachbarn. Der kam auch im Bademantel heraus und begutachtete alles. Dann rief er beim Arzt an, der auch nicht weit entfernt von uns wohnte. Regina hatte es auch schon versucht und nach Schilderung des Falles von der Frau des Doktors zur Antwort bekommen: „Frau Werner, um Gottes Willen, lassen Sie die Person liegen, das sind sowjetische Angelegenheiten, mischen Sie sich da nicht ein, da bekommen wir nur Ärger."

Auch der Polizist konnte nichts ausrichten, kontaktierte aber seine Dienststelle in Altenburg, die wiederum die sowjetische Kommandantur informierte. Aber die Zeit verging. Ich hatte inzwischen einen Druckverband angelegt, mehr konnte ich nicht tun. Irgendwelche Kreislauf- oder Blutstillungsmittel aus meiner Großtierpraxis traute ich mir dann doch nicht anzuwenden.

Nach drei Stunden kam ein Fahrzeug der Roten Armee, aber nicht etwa ein Sanitätswagen, nein, es war ein Funkwagen ohne jegliches medizinisches Gerät, es gab gerade mal Platz, um den um sein Leben ringenden Menschen auf meiner Leiter darin zu verfrachten. Am nächsten Tag lagen Leiter und Schlafsack vor meiner Garage, kein persönliches Ansprechen oder Dankeschön. Nur über Umwege haben wir erfahren, dass der Verletzte überlebt hat und mit dem Unfallverursacher in die Sowjetunion verfrachtet worden ist, sicher mit einer gehörigen Strafe, da waren die Genossen nicht zimperlich. Unser Landarzt kam noch mal davon, sicher auch, weil er SED-Mitglied war. Die Stasi ließ aber verlauten, dass, wenn der Soldat gestorben wäre, harte Konsequenzen gedroht hätten.

Der siebente Oktober näherte sich wieder einmal. Der Gründungstag der DDR war natürlich ein Feiertag und bei uns sehr beliebt, wenn er nicht gerade auf ein Wochenende fiel. Schwager Dieter, seine Freunde Fred Bender, Günther Eckstein und ich machten jedes Jahr eine Männertour nach Rheinsberg zum Witwesee. Nicht etwa, um wie an Himmelfahrt, dem sogenannten „Männertag", die Sau rauszulassen und uns dem Alkohol zu ergeben, sondern um in dem glasklaren See nach Aalen, Hechten und Barschen zu tauchen. Wir schlugen ein großes Zelt auf, machten den Holzkohlegrill fertig und tranken natürlich auch den einen oder anderen Schluck Rum und Bier. Als besonderen Höhepunkt unserer Mahlzeiten kreierte ich Vanillepudding mit einem gehörigen Schuss Rum. Das schmeckte allen so gut, dass ich dreimal am Tag Pudding kochen musste.

Aber das Wichtigste waren die nächtlichen Raubzüge im Wasser. Unsere Wilderei musste so heimlich wie möglich ablaufen, wenn man uns erwischt hätte, wäre eine saftige Bestrafung fällig gewesen. Es war nicht nur der Appetit auf Aal, diesen Fisch konnte man bei uns nirgendwo kaufen, sondern auch das Abenteuer von Nachttauchgängen. Von richtigem Tauchen konnte man zwar nicht sprechen, wir waren auf den Luftvorrat in unseren Lungen angewiesen, denn es war verboten, außerhalb der Gesellschaft für Sport und Technik, einer paramilitärischen Organisation, diesen Sport mit Pressluftflaschen auszuüben. Es hätte ja zur Flucht verhelfen können.

Meist schliefen wir nach dem Abendbrot ein paar Stunden, wer wach wurde, weckte die anderen. Dann zogen wir unsere Neoprenanzüge an, Fred und Günther hatten welche aus dem Westen, meiner war das steife Ungetüm aus der CSSR, aber warm war er, und das war die Hauptsache. Unterwasserlampen hatten wir aus großen Stabtaschenlampen gebastelt, die mit einem Fahrradschlauch überzogen und vorn und hinten mit Duosan, einem Alleskleber, abgedichtet waren. Die Bleigurte waren auch Marke Eigenbau, aber voll funktionstüchtig, sie waren sogar mit einem Schnellabwurfmechanismus versehen. Eine meiner Harpunen hatte ich ja aus Bulgarien, das französische Modell, das der Bulgare mir in meiner Unwissenheit für viel Geld angedreht hatte und das mit Druckluft und Öl betrieben wurde, aber nicht richtig funktionierte. Wenn sie schoss, dann mit solcher Gewalt, dass die Fische sofort zweigeteilt waren. Für die bekam ich ein Verbot von den Kumpeln. Dann hatte ich noch eine kleine Harpune mit zwei Gummizügen, die mir mein Freund Wolfgang überlassen hatte, bevor er mit seiner Familie gen Westen in einem Lastwagenversteck verschwunden war. Die war schon eher geeignet für unseren Unterwassereinsatz. Die Lampen hatten wir kunstvoll an den Harpunen befestigt, der Lichtkegel stellte gleichzeitig das anvisierte Ziel dar. Fred und Günther hatten sich ihre Geräte selbst gebaut, auch mit Gummizügen und einem Fünfzack mit Widerhaken als Spitze.

Schwager Dieter tauchte nicht mit, denn er hatte die Aufgabe, in einem Faltboot über uns zu sitzen und dorthin zu fahren, wo die Lampe erloschen war. Dies hieß, derjenige hatte einen Fisch gefangen. Dieter musste uns den Fang dann abnehmen, bei Hecht und Barsch kein Problem, beim Aal war das schon anders. Wer schon einmal einen Aal gefangen hat, weiß, wie kraftvoll sich die Tiere winden und bewegen und der Schleim ihrer Haut tut sein Übriges. Einen Aal so einfach mit der Hand von dem Fünfzack unserer Harpunenspitzen zu nehmen war unmöglich. Aber meine drei Mitstreiter waren ja Ingenieure und hatten für alles schon im Vorfeld eine Lösung gefunden. Ganz einfach: Eine Kuchen- oder Tortenzange wurde umfunktioniert, indem an die Innenseiten verschiedene Zacken angeschweißt wurden. So konnte Dieter die Aale packen und in eine große, mit kleinen Löchern versehene Büchse aus V-A-Stahl verstauen.

Es war schon faszinierend. Absolute Ruhe, in der Ferne mal das Röhren von Hirschen, Finsternis auf dem Wasser, die Dieter im Boot sofort verschluckte, wenn er mehr als fünf Meter außerhalb des Gesichtsfeldes war. Dann der Blick in die Tiefe, alles erschien unwirklich, so als ob man träumte, im kleinen Kreis des Lichtes der Lampe sahen die Wasserpflanzen wie Arme von Geistern aus. Und man hörte immer mal das Abschießen einer Harpune und sah, wie das Licht ausging. „Aha, der hat wieder was gefangen. Und du paddelst im Wasser und findest keine Beute." Dann kamen die Kälte und der Frust. Aber plötzlich hattest auch du Glück, ein fetter Aal am Grund, Luft holen, einige Meter runter tauchen, zielen und abdrücken und hoffen, dass das Tier nicht entkommt.

Nach zwei bis drei Stunden beendeten wir unseren Ausflug. Eckstein konnte am tiefsten tauchen und am längsten die Luft anhalten, deshalb fing er auch die fettesten Aale. Auch Fred war erfolgreicher als ich, obwohl ich sicher der Sportlichste der Truppe war. Ein wenig ärgerte mich das schon, aber was soll's.

Der nächste Tag begann mit Fische Säubern, Hecht und Barsch wurden von uns als Mittag- und Abendessen verputzt, dazu noch eine große Portion Pilze – Pfifferlinge, Steinpilze und Maronen. Alles wuchs hier in diesen Wäldern. Die Aale wurden ausgenommen, gesäubert, gesalzen, aufgefädelt und in einem mitgebrachten Räucherofen, natürlich selbst gebaut von Fred und Günther, ihrer Bestimmung zugeführt. Wir saßen vor neugierigen Blicken einigermaßen geschützt am Uferrand, tranken ein Bier, genossen die unglaubliche Schönheit der herbstlich gefärbten Blätter und warteten geduldig, bis die Fische goldbraun aus dem Rauch genommen werden konnten. Und wie sie dufteten!

Zu Hause warteten unsere Familien schon sehnsüchtig auf unsere Rückkehr, nicht etwa, weil wir ihnen so gefehlt hätten, nein, wegen der Räucheraale. Wir genehmigten uns nach der Arbeit am Ofen auch schon mal einen kleinen Bissen, mussten wir doch schauen, ob alles gut gelungen war.

Wir waren recht reisefreudig. Im Winter ging es an den Wochenenden nach Oberwiesenthal zum Skifahren. Da ich aber alle drei Wochen Sonntagsdienst hatte, waren die Möglichkeiten begrenzt, zumal an den dienstfreien Tagen oft die Schneelage recht dürftig war, dafür aber nach den Wochenenddiensten die Freunde begeistert vom tollen Schnee berichteten. Längeren Winterurlaub planten wir in den Beskiden bei unserem polnischen Freund Boguslaw oder in einem Hotel in Jasna in der CSSR.

Als ich das erste Mal in Szcyrk in den Beskiden mit meinem Freund Racka aus Leipzig zum Skifahren war, bekam ich meinen Spitznamen, der mich ein Leben lang begleitet hat. Wir warteten in der Talstation des Sessellifts, als sich eine Schaar Mädels um uns drängelte. Es waren die jungen Damen der polnischen alpinen Nationalmannschaft mit ihrem Trainer, dem wir auch nach Jahren immer wieder in Freundschaft begegneten. Ich wurde nach meinem Namen gefragt, und als sie „Werner" hörten, wir unterhielten uns auf Englisch, stutzten sie, und ich flunkerte ihnen vor, mein Cousin wäre der bekannte USA-Skistar Bud „Buddy" Werner. Meine Fahrkünste hatten aber nichts mit ihm gemein, die Mädels haben mich gottseidank nie auf der Piste gesehen. Aber ich hatte Aufmerksamkeit und da Racka alles zu Hause erzählte, meinen Spitznamen „Buddy" bis heute weg.

Da die Devisensituation immer recht angespannt war, schmuggelte ich bei unseren Auslandsurlauben zusätzliches Bargeld in einem Plastikbeutel in der Unterhose, denn trotz recht strenger Grenzkontrollen war eine Leibesvisitation doch nur als allerletztes Mittel der Grenzer vorgesehen.

Unser Freund Klaus Hörügel wollte mit seiner Familie nach Ungarn fahren, um für seinen Sohn eine Jeanshose zu kaufen.

Der Junge hatte in seinen Ferien gearbeitet und das Geld extra dafür gespart. Das gewünschte Teil gab es bei uns nicht zu kaufen und Westverwandtschaft hatten sie nicht. Ich erzählte ihnen von meinen Erfahrungen beim Grenzübertritt, und dass das Geld in der Unterhose am besten aufgehoben wäre. Alles gut bis dahin. Die drei zogen los. An der Grenze hatte sich eine lange Schlange von Autos gebildet, es dauerte. Sohn Frank hatte plötzlich das unstillbare Bedürfnis, eine Toilette aufsuchen zu müssen. Die gab es auch, und er konnte sich freudig erleichtern. Was er nicht bedacht hatte, war sein Schmuggelgeld in der Unterhose, nicht eingepackt in Plastik, sondern einfach so verstaut. Das alles schwamm nun mit Klopapier und anderen ekeligen Dingen in dem Klo. Heulend kam er aus dem Häuschen und sah seine Mutter fragend an. Cosima brach von einem Busch einen Zweig ab, Frank musste Schmiere stehen vor der Tür und sie angelte Schein für Schein aus der stinkenden Brühe. Dann wuschen sie das Geld an einem Wasserhahn und hofften, dass keiner der Grenzer oder Zöllner ihr Treiben beobachtet hatte. Alles ging gut. Später wurde das Geld getrocknet und in eine Jeans umgewandelt. Klaus sagte dazu lakonisch, es würde absolut nicht stimmen, wenn immer behauptet wird, „penunza non olet“, Geld stinkt nicht.

Franz Stiller fragte mich eines Tages, ob wir mit nach Bulgarien, nach Aleko, zum Skifahren kommen würden. Er wäre schon mal dort gewesen, alles würde übers Reisebüro gebucht, das Hotel sei recht schön und die Pisten ebenfalls. Nach kurzem Überlegen sagten wir Ja.

Irgendwann Anfang März sollte es ab Berlin-Schönefeld losgehen. Franz meinte, da das Hotel doch ein wenig luxuriös sei, müsste ich ein Jackett und eine Krawatte mitnehmen. Da sich ein solches Jackett nicht so einfach in einem Koffer unterbringen lässt und die Ski und -schuhe auch einen beträchtlichen Teil des Gepäcks ausmachten, zog ich das Teil auf der Fahrt an, dazu Schlips und Kragen. Die Reisegruppe bestand aus etwa zwanzig Leuten und wir trafen uns vor dem Abflug in dem Flughafenrestaurant. An einem der Tische saßen sechs Leute, die mich recht komisch ansahen, und der eine sagte recht provozierend, wer denn der Arsch mit dem Jackett und der Krawatte sei, also ich. Ein weiterer junger Mann an diesem Tisch meinte, er würde mich kennen, und ich sei ganz in Ordnung. Jetzt erkannte ich ihn auch, es war Jürgen Pretzsch aus Leipzig, den ich oft abends nach dem Judotraining, wenn wir durch die Innenstadt von Leipzig gezogen waren, getroffen hatte. Die anderen Kerle gehörten zu seiner Truppe und wir wurden auf dieser Reise richtige Freunde. Nur hatte keiner so ein Zeug mitgeschleppt, geschweige denn angezogen wie ich, und ich war echt wütend auf Franz, der mir dies eingeredet hatte.

Das Hotel war eines von vielen unweit von Sofia, hoch oben im Witoscha-Gebirge am Tscherni Wrach, so hieß der Berg. Die Skipisten waren recht anspruchsvoll, nicht überfüllt, und so konnten es zehn herrliche Tage werden. Ich hatte gerade kurz vor der Reise meine neuen Kneissl „White Star" Slalomski bekommen und war heiß, sie auszuprobieren.

Apropos Kneissl Ski: In Oberwiesenthal hatte ich von einem Bekannten ein paar gebrauchte „White Star" erstanden. Die Kanten waren schon arg abgeschliffen, und so schickte ich sie über die BRD nach Österreich ins Werk Kufstein. Dort wurden neben einer neuen Laufsohle auch neue Kanten aufgezogen, die Ski waren wie neu. Da ich aber nicht in der Lage war, D-Mark dafür zu bezahlen, wickelte der Kommerzialrat Kneissl die Sache als Garantieleistung ab. Ich versuchte, mich mit einigen Büchern über Kunst, wie „Die altägyptische Zeichnung", zu revanchieren. Nach einiger Zeit tauschte ich dieses Modell in die schon erwähnten Slalomski um, später ging dies noch einige Male so weiter.

Regina fuhr nur an zwei Tagen mit uns die Hänge hinunter, dann erwischte sie eine üble Grippe und fesselte sie für mehrere Tage ans Bett. Meist hatte ich Peter Witzel als Skipartner, da unsere Fahrkünste etwa gleich waren. Peter war der, der mich als „Arsch mit Schlips und Kragen" bezeichnet hatte, aber das war schnell vergessen. Abends im Speisesaal ging es hoch her. Wir, Peter, seine Frau Pia, Jürgen, Manfred Mory, sein Vetter Gerd Fischer und ich, saßen an einem Tisch, Regina lag ja im Bett und kurierte die Grippe aus. Wir hatten Verzehrbons für unsere Mahlzeiten und Getränke, und ich konnte so richtig in die Vollen gehen, da mein Frauchen sparsam auf dem Zimmer blieb. Als sie wieder gesund war, waren auch die Bons alle, und wir mussten alles bar bezahlen.

Die Mahlzeiten fielen recht bescheiden aus. Eines Abends gab es Fleischspieße, Schaschlik. Unsere Portionen waren sehr klein, aber in einen separaten Raum, wo eine westdeutsche Reisegruppe speiste, wurden in unseren Augen riesige Spieße getragen. Und so kamen doch wieder Neid und Wut auf. Wir trösteten uns mit Alkohol. Dem bulgarischen Bier, was für uns aus der Ostzone serviert wurde, konnte man keinen guten Geschmack abgewinnen, und nun zeigten die Leipziger Peter und Jürgen ihre Fähigkeit, mit Kellnern umzugehen. Wir bekamen auch Pilsner Urquell wie die Bundesbürger, aber in Kaffeekannen serviert, damit die übrigen DDR-Bürger aus unserer Reisegruppe das nicht mitbekamen.

Zu vorgerückter Stunde wurde dann Sekt bestellt, die Sektschalen so aufgestellt, dass eine Pyramide entstand und der rote Sekt in das oberste Glas geschüttet, bis dies überlief und die darunter stehenden Gläser füllte. Das Ganze nannte sich „Kaskade". Natürlich wurde die Tischdecke dabei immer etwas versaut, das kümmerte keinen, der Kellner stand ehrfürchtig daneben und fand das ganz toll. Nur die anderen Reiseteilnehmer regten sich auf, so könne man sich im Ausland doch nicht benehmen. Aber es waren die Gleichen, die bei ungenießbarem Essen meinten, man müsse doch die landestypischen Gegebenheiten akzeptieren. Eine Menge Genossen waren da auch dabei, und sicher auch welche von Horch und Guck. Wir aber hatten Spaß, die Kellner fragten jeden Abend in gebrochenem Deutsch: „Wieder Kaskade?"

Nachmittags nach dem Skifahren saßen wir im Café und tranken irgendeine Kleinigkeit. An einem etwas entfernt stehenden Tisch saßen einige Berliner, die mit einer anderen Reisegruppe hierher gelangt waren. Aber wie fast immer hatten die eine nicht zu überhörende große Klappe. Unser sächsischer Slang fiel natürlich auf, und dann sagte der eine Berliner recht laut, damit wir es auf keinen Fall überhören sollten: „Morgen werde ich meinen Mercedes mal wieder mit Sachsenbenzin volltanken …"

und noch was Unverständliches. Was das Erste sollte, ist mir bis heute noch nicht klar, aber es sollte uns provozieren. Das tat es dann auch. Jürgen winkte den Kellner heran und sagte ihm, er müsse dem Berliner und seiner Frau doch mal ein Kompliment machen. Da der Kellner kaum Deutsch konnte, lernte er im Schnelldurchgang den Satz: „Schneewittchen, ohne Arsch und ohne Tittchen." Als er sich das so leidlich gemerkt hatte, schickten wir ihn zum Tisch der Berliner, und dort sagte er sein Verschen auf. Die Betroffenen explodierten förmlich und versprachen Rache.

Ihr Wortführer und der Großmäuligste war ein Frisör. Am folgenden Tag fuhr er vor Peter und mir im Lift zum Gipfel. Und vor uns ging es wieder talwärts. Peter und ich rasten hinterher, um dann immer kurz vor oder hinter ihm abzuschwingen. Der Frisör kam völlig aus dem Konzept, raste immer schneller und drohte fast zu stürzen. Wir ließen ihn in der Ferne verschwinden. Die letzte Abfahrt machte ich allein, und als ich vor dem Hotel meine Ski abschnallen wollte, etwas geschafft vom anstrengenden Tag und da besonders reizbar, standen plötzlich der Frisör und vier weitere Berliner um mich herum. Was ich mir einbilden würde, so eine Unverschämtheit und weitere Anschuldigungen prasselten auf mich nieder. Ich fummelte immer noch an meiner Bindung herum, schaute auf und in das wütende Gesicht vom Frisör, ganz nahe an meinem, was ich überhaupt nicht leiden konnte. Seine Leibgarde versuchte auch, bösartig auszusehen. Er hatte einen großen Schnauzbart, und den packte ich, zog ihn auf Brusthöhe herunter und sagte in bedrohlichem Ton: „Wenn du nicht machst, dass du fortkommst, nehme ich dir heute noch deinen Bart ab." Die Umstehenden trollten sich und der Bartträger folgte ihnen grunzend.

Als ich es Peter erzählte, lachte der nur und versprach, am Abend noch einen drauf zu setzen. Der Frisör musste an unserem Tisch vorbei, und als er das machte, rief Peter: „Komm zurück, du hast nicht gegrüßt!" Völlig verdattert kehrte er um und meinte, er würde nun immer grüßen.

Nach dem Abendessen saßen wir fast immer in der Bar, einem gemütlichen, rustikal gestalteten Raum. Und der Rotwein tat dann seine Wirkung. Wir wurden immer kindischer, und so manche Hemmung fiel. Gerd hatte eine Armbanduhr, von der er meinte, die sei absolut stoßfest, wasserdicht sowieso und ich solle sie doch mal testen. Ich nahm sie nach anfänglichem Zögern in die rechte Hand und klatschte sie mit einer schnellen Bewegung aus dem Handgelenk auf die Steinplatten am Boden. Erstaunlicherweise ging sie noch und ich wiederholte das Experiment noch einmal, jetzt mit etwas mehr Tempo. Das Teil gab für alle Zeiten seinen Geist auf. Da kam eine Uhr von einem Bulgaren auf unseren Tisch geflogen mit der Bitte, es doch auch mit seiner zu versuchen. Aber so betrunken war ich dann doch nicht, sicher wollte der nur eine neue Uhr haben, ich lehnte ab, und er feuerte sein Schmuckstück an die Steinwand hinter uns. Sie blieb ganz, und er war richtig stolz.

Gerd Fischer und Manfred Mory waren damals noch Anfänger beim Skilaufen. In späteren Jahren beherrschten sie ihre Geräte recht gut, aber in Aleko war es ein Bild für Götter, wenn die beiden den Berg herabfuhren, nein, gefallen und gerutscht sind. Die Ski waren immer einen Tick schneller als diejenigen, die drauf standen. Die Mäntel wehten im Winde, die Arme fuchtelten wie wild in der Luft herum in der Hoffnung, alles unter Kontrolle zu bekommen. Wir anderen hatten einigermaßen gute Outfits, aber Gerd und Manfred fuhren mit knöchellangen dunklen Lodenmänteln im Tiefschnee. Infolge ihrer vielen Stürze waren die Mäntel in kürzester Zeit voller Schnee- und Eisklunker, und wir konnten oft vor Lachen kaum einen richtigen Schwung zirkeln. Aber die zwei ließen sich nicht beirren und gurkten den ganzen Tag den Berg hinunter. Schade, dass wir noch keine digitale Videotechnik hatten, denn es wären Aufnahmen für die Ewigkeit geworden. So vergingen die Tage, Regina und ich sind nie wieder im Winter dorthin gefahren, sondern lieber nach Polen oder in die CSSR.

Wir schlenderten die Krupowki, die Hauptstraße im polnischen Zakopane, in Richtung Hotel Giewont. Der Tag war etwas nebelig, Schneeflocken taumelten vereinzelt vom Himmel, und wir waren nach einem Skitag vom Kasprowy Wierch zurück in Zakopane. Jetzt freuten wir uns auf den Abend, aber vorher gönnten wir uns einen kleinen Snack an einem der Freiluftstände an der beliebten Flaniermeile des Städtchens. Uli holte für Uwe und mich einen Schaschlikspieß, biss aber selbst lieber in eine knusprige Bratwurst mit viel Senf. So standen wir kauend herum, als Uli die Straße hinauf zeigte. Micha, er war mit einer anderen Männertruppe hierhergefahren, kam die Straße herunter, blieb bei uns stehen und begrüßte uns. Stolz zeigte er auf seine Skimütze, die ein Emblem in den französischen Nationalfarben sowie ein Rossignolhahn zierte. Zu Letzterem sei bemerkt, dass Rossignol eine Skimarke ist und bei uns DDR-Bürgern oft unerfüllte Wünsche implizierte. Kurz und gut, Micha hatte seine Mütze auf der Bergstation des Kasprowy vom Chef des Skiservice gekauft. Seine Freude darüber hielt allerdings nicht lange an, da Uli in lautes Lachen ausbrach und zwischen Bratwurststücken und glucksenden Lauten die Wahrheit über die Mützen sagte. Er hatte zu Hause 20 Skimützen gekauft, dazu 20 Abfahrtshandschuhe, hatte von einigen ihm ergebenen Krankenschwestern, Uli ist Arzt, nach seinen Vorlagen die besagten Rossignolhähne aus Stoff ausschneiden und aufnähen lassen, die Nationalfarben Frankreichs dezent an Mützen und Handschuhen angebracht und diese Kollektion für einen guten Preis an den Servicemann verkauft. Und dieser machte nun sein Geschäft mit den ahnungslosen Touristen. Micha, sonst einer der cleversten seiner Zunft, war auf das Angebot hereingefallen. Und die Mütze hat er seitdem nie wieder angerührt. Aber so war das eben.

Als Gehaltsempfänger in der DDR, ob man viel oder wenig arbeitete, es wurde nicht mehr, waren Reisen unserer Art oft nur schwer zu finanzieren. Also musste man flexibel sein, sich etwas einfallen lassen. Ich kaufte zu Hause zehn Paar Damenschuhe, Import aus Italien, Lackleder, aufreizende rote und blaue Applikationen. Natürlich mit Karton, was einen ansehnlichen Berg ergab. Solche Schuhe gab es bei uns nicht alle Tage und nicht überall. Es war Zufall. Da die Dinger ziemlich ausgefallen aussahen, kaufte sie niemand, außer mir. Polnische Frauen haben kleine Füße, deshalb durften es nur die Größen 36 und 37 sein, aber das war kein Problem. Uli kaufte seine Schuhe in Leipzig, Stiefel, preiswert und viel zu groß.

Aber die Probleme kamen erst in Zakopane. Wir fuhren zu dritt, diesmal mit meinem Auto und mit meiner Frau, die von unseren Aktivitäten nichts hielt und in ständiger Angst lebte, dass irgendetwas schiefgehen konnte. Wir hatten alles im Wagen verstaut, Skiklamotten über die Kartons gelegt und hofften, erst mal gut über die Grenze nach Polen zu kommen. Um nur wenige Urlaubstage zu verbrauchen, fuhren wir mittwochs nach Dienstende los, hatten also eine lange Fahrt durch die Nacht vor uns. Meist erreichten wir gegen Mitternacht die Grenze in Görlitz, die müden Grenzer kontrollierten nur kurz unser Skigepäck und wir konnten den langen Weg Richtung Tatra in Angriff nehmen. Da nachts kaum andere Autos auf den Straßen waren, hatten wir freie Fahrt und auf dem Tacho war die 120 zu sehen – für heutige Autos lächerlich, für unseren Polski Fiat mit 60 PS, drei Paar Ski auf dem Dach und drei Personen doch ganz respektabel. In den frühen Morgenstunden kamen wir an, legten uns für 1–2 Stunden in die Betten und nach einem spartanischen Frühstück ging es Richtung Kusnice zur Talstation der Seilbahn vom Kasprowy. Es klingt alles einfach, aber dem Skivergnügen waren fast unüberwindbare Hürden gesetzt. Erstens waren da die Tickets für die Bergfahrt, die nach Zeiten gestaffelt nur ab Mittag zu bekommen waren. Wohlgemerkt, die erste Fahrt war erst in den späten Mittagsstunden möglich. Alle früheren Termine gab es nur über undurchsichtige Kanäle. Wie er es machte, weiß ich nicht genau, auf jeden Fall hatte Uli immer Karten für angenehme Zeiten gegen 10 Uhr. Das war aber nicht alles. Um nach Kusnice zu kommen, musste man sein Auto auf einem Parkplatz ca. drei Kilometer vor der Talstation abstellen und dann mit dem Bus weiterfahren, eine unmögliche Prozedur. Da bei Uli alles bis ins Kleinste organisiert wurde, hatte er auch hier die tollsten Ideen und setzte sie in die Tat um.

In Leipzig an der Deutschen Hochschule für Körperkultur, kurz DHfK, arbeitete Uli als Sportmediziner, hatte auch mit polnischen Kollegen zu tun. Von denen ließ er sich ein Schreiben in polnischer Sprache aufsetzen, in dem sinngemäß stand, dass er mit Leistungssportlern zum Höhentraining nach Zakopane fahre und entsprechende medizinische Kontrollgeräte bis auf den

Berg mitschleppen müsse. Mit diesem Schreiben, Stempel und amtlichem Briefkopf inklusive, ging er in Zakopane aufs Rathaus, sogar zum Polizeichef, und ließ sich ein Permit ausstellen, damit er mit uns bis zur Talstation fahren konnte.

Als es so weit war, sahen wir im Rückspiegel nach dem Passieren des dritten Verbotsschildes einen Polizeiwagen hinter uns herfahren. Kaum hatten wir geparkt, kamen die Gesetzeshüter schon aus ihrem Wagen und machten uns unmissverständlich klar, wir hätten bestehende Vorschriften grob missachtet und müssen Strafe zahlen. Uli ließ alles über sich ergehen, provozierte sogar noch, indem er so tat, als ob er nicht wüsste, warum dieser Aufstand gemacht wurde. Die zwei Polizisten wurden immer wütender. Dann zog Uli die Erlaubnis des Polizeichefs aus der Tasche, die beiden Cops hätten um ein Haar noch salutiert, und wir konnten bequem zu unserem Skitag starten. Und an den folgenden Tagen wurden wir mit Lichthupe begrüßt und winkten zurück.

Jahre später sagte Uli, nun sollte doch ein anderer mal die Sache regeln und die Genehmigung holen. Die Wahl fiel auf mich. Die halbamtlichen Papiere seiner Hochschule waren vorhanden, ich brauchte mich nur an Ulis Vorgaben zu halten. Aber bei mir wollte es anfangs überhaupt nicht klappen, man schickte mich von einem Zimmer ins andere, keiner nahm mich so richtig ernst. Als ich nach gefühlten zwei Stunden, es waren aber immerhin 55 Minuten, wieder im Auto saß, durchgeschwitzt, aber nun doch die Bescheinigung in den Händen, war ich heilfroh. Uli wunderte sich über mein langes Wegbleiben und ich mich über sein Talent, solche Situationen zu meistern.

Kurzum, zurück zu den Schuhen: Abends wollten wir nun den großen Verkauf starten. Ich hatte einen riesigen Rucksack mit meinen Schuhen vollgepackt und stapfte mit Regina die Hauptstraße entlang. Ob ich schon hier Passanten ansprechen sollte? An einem Krimskramstand drehte sich plötzlich ein älteres Ehepaar zu mir um. Wollten die etwa was von uns kaufen?

„Herr Doktor, was machen Sie denn hier? Sie sind wohl wandern?“, wurde ich gefragt, was mit Blick auf den riesigen Rucksack durchaus möglich gewesen wäre. Ich war wie erstarrt, diese beiden stammten aus unserem kleinen Dorf, und ich als Tierarzt war bekannt wie ein bunter Hund. Ich versuchte, mich so schnell wie möglich in Sicherheit zu bringen. Regina hatte inzwischen das Weite gesucht, denn sie hasste Lügen und die Peinlichkeiten, die mein Auftreten mit sich brachte.

Unser nächstes Ziel war das Hotel „Giewont", um eine Tasse Kaffee zu trinken und Uli zu treffen. Den Rucksack gab ich an der Garderobe ab, dann setzten wir uns in das gut besuchte Restaurant. Drei Tische entfernt saß eine etwas zu aufreizend geschminkte Dame, und wir waren uns ziemlich sicher, dass sie einem in Zakopane recht einträglichen Gewerbe nachging, zumal dort relativ viele in harter Währung zahlende Touristen ihren Winterurlaub verbrachten. Ich holte also einen Schuhkarton von der Garderobe, setzte mich kurz an ihren Tisch und zeigte ihr die doch so tollen Schuhe. Aber außer einem „No" konnte ich ihr nichts entlocken und meine Laune sank auf einen Tiefpunkt. Ich brachte die Schuhe wieder zur Aufbewahrung zurück, als eine Frau, die gerade ihren Mantel abgab, interessiert fragte, was denn in dem Karton wäre. Ich zeigte die Schuhe, sie probierte diese gleich in der großen Hotelhalle an und gab mir begeistert das Geld, ohne zu handeln. Dies war die Initialzündung. Überall auf der Welt, und besonders bei Frauen, ist immer das Gleiche zu beobachten. Wenn eine etwas kauft und es sieht so aus, als wäre es der letzte Artikel, wollen alle anderen unbedingt auch zugreifen. Bei Wärmedecken auf Kaffeefahrten ist das ja das Mittel, den Leuten etwas anzudrehen. Innerhalb weniger Minuten verwandelte sich die Lobby in einen Bienenschwarm aufgeregter Frauen, sämtliche Kartons waren verschwunden, eine Frau hatte nur zwei linke Schuhe und ich suchte mühsam nach dem passenden rechten. Da ich das Tohuwabohu nicht mehr überblicken konnte, spurtete ich ins Restaurant und holte Uli zur Unterstützung, denn er hatte von der ganzen Aufregung nichts mitbekommen. Nachdem wir etwas Ordnung in das Ganze gebracht hatten, waren innerhalb von 40 Minuten alle Schuhe verkauft, ich hatte ein Bündel Zlotys in der Tasche und wollte mich schon zufrieden zum Kaffeetrinken begeben, als eine Frau auf mich zukam und meinte, sie hätte sich alles noch mal überlegt und wollte die Schuhe zurückgeben. Ich bekam schon Angst, dass dies einen Dominoeffekt auslösen würde und ich am Ende genauso wie zu Anfang mit einem Riesenberg Damenschuhe dastehen könnte. Aber friedlich, wie ich nun einmal bin, diskutierte ich nicht, sondern zählte die Geldsumme ab, die ich zurückgeben musste. Da erschien wie aus dem Nichts ein älterer, etwas rundlicher, gemütlich aussehender Mann, der Ehemann dieser Frau, und sagte in gutem, polnisch akzentuiertem Deutsch: „Junger Freind, merken se sich, Geschäft ist Geschäft, Frau hat gekauft, also sie soll's behalten."

Ich war perplex, aber hocherfreut und steckte das schon bereitgehaltene Geld wieder ein. Und dann schmeckte der Kaffee noch einmal so gut, und ein Gläschen Wodka gab es zusätzlich.

Der Abend war gerettet, wir konnten uns eine Nacht in der Bar des „Giewont" leisten. Uwe war inzwischen auch zu uns gestoßen und freute sich auf gemeinsame Tage. Uli diskutierte erst mal mit dem Türsteher, da es angeblich nur Tische inklusive eines Verzehrbons gab. Aber so viel Geld wollten wir dann doch nicht ausgeben, und nach langem Hin und Her bekamen wir einen Stehplatz an der Bar. Wir bestellten jeder einen Orangensaft mit Wodka, nippten an dem Glas und unterhielten uns prächtig. Aber wer nun denkt, wir hätten nun immer ein neues Getränk bestellt, der täuscht sich gewaltig. Uli schmuggelte immer eine Flasche Wodka in die Bar, füllte unsere Gläser nach, der Saft im Glas zeigte eine immer hellere Farbe, wir wurden immer lustiger und der Barmann immer misstrauischer. Auch als dieser um den Tresen herum kam und alles beschnüffelte, lachte Uli nur, denn er hatte die Flasche unsichtbar platziert.

Natürlich wollte Uli, dass auch mal ein anderer die Flasche ins Lokal schmuggeln sollte. Aber da hatte jeder der Angesprochenen die tollsten Ausreden mit dem Ergebnis, dass er die Sache wieder selbst in die Hand nahm. An einem der Abende waren wir nicht in die Bar, sondern ins Tanzcafé gegangen. Alles verlief vergnüglich, und wir amüsierten uns recht gut. Uwe war plötzlich aus unserem Gesichtsfeld verschwunden, aber wir konnten ihn an einem der etwas weiter entfernt stehenden Tischen entdecken, wo er sich mit zwei süßen Mäuschen in angeregter Unterhaltung befand. Plötzlich kam er zu uns gelaufen und wollte einen ziemlich hohen Geldbetrag haben. Er hatte in seinem Liebestaumel, verbunden mit einem nicht zu niedrigen Alkoholspiegel, den beiden aus Kanada stammenden Mägdelein eine Flasche Sekt spendieren wollen. Wir tranken an diesem Abend italienischen Asti Spumante, auch nicht gerade billig, aber doch bezahlbar. Der gerissene Kellner hatte Uwe nach seinem Begehr gefragt, aber der hatte den Namen unseres Getränks nicht mehr im Kopf und etwas Undefinierbares gemurmelt, woraufhin der Kellner den teuersten französischen Champagner auftischte. Die Mädels süffelten begeistert das königliche Getränk, Uwe bekam auch einen kleinen Schluck ab und schaute nur entgeistert auf die auf den Tisch flatternde Rechnung. Natürlich borgten wir ihm das Geld, und er erhielt von seinen angehimmelten Kanadierinnen zum Abschied ein kleines Küsschen. Zweihundert Mark hatte er vergeblich investiert, und Uli und ich kamen aus dem Lachen nicht mehr raus.

Die Tage waren mit Skifahren ausgefüllt. Das Unschöne daran waren die langen Wartezeiten an den zwei Liften, mehr gab es nicht auf dem Gipfel, und so standen wir oft über dreißig Minuten, bis uns der Sessel wieder hinauf brachte. Mit „wir" meine ich aber nicht Uli, denn der hatte einen internationalen Skilehrerausweis, der ihn berechtigte, die Schlange zu ignorieren und gleich vorn in den Sessel zu steigen. Da nutzten auch die schönen Genehmigungen und unser angebliches Spitzensportlertraining nichts, wir mussten uns anstellen. So verging ein Skitag mit Warten am Lift und höchstens vier bis fünf Abfahrten, aber wir kannten es ja nicht anders. Erst als wir nach vielen Jahren auch in den anderen Gebirgen dieser Welt auf unseren Ski die Pisten erobern konnten, wussten wir, was uns die ganzen langen Jahre entgangen war.

Skifahren war zwar die Hauptsache, aber auch für die Kultur taten wir etwas. Die alte Stadt Krakow war jedes Mal einen Besuch wert, und immer wieder konnten wir etwas Neues entdecken. Uli wollte unbedingt einen Tausender DDR-Mark in Zloty umtauschen, aber nicht zu dem offiziellen Kurs, sondern auf dem schwarzen Markt zum doppelten Wert. Uwe, wie immer nicht in der Lage, seine Geschäfte allein abzuwickeln, bettelte Uli an, für ihn auch 500 Mark zu tauschen. Es dauerte nicht lange, bis uns in einem Geschäft für Sportartikel ein Pole ansprach. Immer der gleiche Satz: „Wollen Sie dauschen?" Nun ja, wir wollten. Es wurde ein Treffpunkt ausgemacht, etwas abseits vom Touristentrubel, und es konnte losgehen. Fuchs Uli ermahnte uns, genau hinzuschauen bei dem Geschäft, damit wir auf keinen Fall getäuscht werden könnten. Der Pole nahm ein Bündel Geldscheine aus der Tasche, zählte sie uns vor, rollte sie wieder zusammen und steckte sie ein, wobei er flüsterte: „Vorsicht, Miliz." Dann ging alles wieder von vorn los. Uli schaute sich alles genau an und gab sein Geldbündel seinem Gegenüber, da er meinte, alles sei in Ordnung. Der Pole steckte das Geld ein, Uli die gerollten Zloty. Dann war der Geldwechsler verschwunden. Uli hatte noch die Hand in der Tasche und sagte, dass wir betrogen worden waren. Die Geldrolle enthielt statt fünfzehntausend nur fünfhundert Zloty, ein tolles Geschäft für den Polen. Der war natürlich nicht mehr aufzufinden, zur Polizei konnten wir auch nicht gehen und so war der Tag gelaufen. Auf der Heimfahrt nach Zakopane sprachen wir recht wenig, mich hatte es zwar nicht betroffen, aber Uli war schon recht angefressen.

Kurz vor Zakopane überholte uns plötzlich ein Polski Fiat, eine Polizeikelle zwang uns zum Halten. Auch das noch! Wir hätten die Höchstgeschwindigkeit überschritten und sollten einen nicht unerheblichen Betrag als Strafe zahlen. Der jüngere der beiden Polizisten war ziemlich aggressiv und lies sich auf keine Diskussion ein. Aber plötzlich fragte der ranghöhere ältere, was bei uns ein Weltmeisterakkordeon (Weltmeister war eine Marke) kosten würde. Uli faselte etwas von 500 Mark, der Polizist meinte, das sei aber preiswert, und ich sah unsere Chance für einen Deal gekommen. Ich ging zum Auto zurück und sagte zu Regina, sie solle mir mal die Schachteln mit den Uhren geben. Sie meinte, ich solle keinen Quatsch machen, alles sei schon schlimm genug heute, also typisch weibliche Ängstlichkeit. Die Uhren Marke „Ruhla" waren wie Taucheruhren ausgestattet, mit Stellring, Start/Stopp-Funktion und dem ganzen

Schnickschnack. Nur hatten sie den Nachteil, bei einem Unterwasseraufenthalt echt wasserdicht zu sein – das Wasser ging hinein, aber niemals wieder hinaus. Aber toll sahen sie aus, in ihrer Geschenkbox. Ich nahm also die zwei Schachteln mit den Uhren und zeigte sie unseren beiden Polizisten. Der jüngere, der Scharfmacher, war sofort begeistert, zumal die Funktionen auf Anhieb klappten, und borgte sich bei dem älteren das Geld für seine Traumuhr. Der andere kaufte die zweite, natürlich für einen stolzen Preis. Strafe mussten wir nicht mehr bezahlen und wurden mit einem freundlichen Hupkonzert verabschiedet. Wir hofften nur, den beiden kein zweites Mal zu begegnen, aber dass jemand Eistauchen in der Gegend von Zakopane macht, war ja auch nicht zu befürchten.

Von dem Geld der Schuhe kaufte ich in einem Laden für Haushaltswaren eine Doppelspüle mit Ablage aus Edelstahl. Bei uns in der DDR gab es so was nicht, und so waren Regina und ich voller Freude, für unser Haus, zumindest für die Küche, ein tolles Stück mitzubringen. Die Spüle war etwa zwei Meter lang, im Karton gut verpackt, und wir konnten sie nur mit Mühe im Wagen unterbringen, also Vordersitz umlegen und etwas Gewalt anwenden, so ging es. Anschließend machten wir noch einen kleinen Bummel und kamen nach etwa einer Stunde wieder beim Auto an. Zu unserem Entsetzen qualmte es im Innenraum gewaltig, und wir waren erst mal ratlos, was die Ursache sein konnte. Was war geschehen? Der Karton der Spüle hatte den Zigarrenanzünder im Wagen reingedrückt, das Metall war glühend heiß geworden, die Plaste geschmolzen und die Kartonage der Spüle war im Begriff, sich zu entzünden. Der Schreck saß tief, um ein Haar hätte unser Wagen in Flammen gestanden, so war alles noch mal gut gegangen. Auf der Heimfahrt musste die Spüle dann zusammen mit den Ski aufs Autodach.

Uli hatte natürlich auch eine Schuhkollektion mitgebracht. Das Dumme daran war nur, dass die Größen der Schuhe nicht mit den zierlichen Füßen der polnischen Mädels im Einklang standen. Alle waren viel zu groß! Es war schon ganz schön deprimierend, diese Galoschen immer und immer wieder anzubieten. Beim Frisör schauten die Damen erst mal interessiert unter den Föhnhauben hervor, aber die Schuhe wollten niemandem so recht passen. Unsere Stimmung verschlechterte sich zusehends, bis dann nach Stunden endlich einige Abnehmer gefunden waren und auch Uli sein Geschäft abschließen konnte. Aber er hatte noch einen Stapel Hemden im Angebot, bisher unverkäuflich. Deshalb mussten die Kleidungsstücke wieder mit auf die Heimfahrt genommen werden. Bevor es auf die Heimreise ging, lotste Uli uns noch nach Nowy Targ zu einem seiner vielen Bekannten. Dort hatte er schon eine Bestellung über zwei Trachtenpelzmäntel laufen, die er dann mit Gewinn in Deutschland verkaufen konnte. Auch da gab es schon feste Bestellungen. Nun muss man wissen, dass diese Geschäfte in Polen für den privaten Bereich illegal waren, da die Herstellung und der Handel mit diesen Mänteln staatlich reglementiert war. Die Leute, bei denen wir die Mäntel kauften, gingen ein hohes Risiko ein, Uli natürlich auch. Und so staunten Regina und ich nicht schlecht, als eine Tür zur Scheune aufging und die gewünschten Stücke unter einem Berg von Heu hervorgezogen wurden und, kurz sauber geklopft, den Besitzer wechselten.

Auf der Heimfahrt kamen wir kurz vor Mittag an einer Kirche vorbei. Dort endete gerade der Sonntagsgottesdienst und die Menschmassen strömten zu dem gegenüberliegenden Parkplatz. Uli befahl mir, dort zu halten, das Fenster nur einen Spalt zu öffnen und eines seiner noch nicht verkauften Hemden den Kirchgängern entgegenzuhalten. Gesagt, getan. Im Nu hatte sich eine Traube von Menschen um das Auto versammelt, jeder wollte sehen, was es da eventuell zu kaufen gab. Das eine Hemd machte die Runde, aber so richtige Kauffreude kam nicht auf. Da fragte einer der Umherstehenden, was die Abkürzung „A. S. Sport" im Hemdkragen heißen solle. Blitzschnell antwortete Uli: „Austria Sport." Derjenige, der das Hemd in der Hand hielt, sagte mehr fragend als bestätigend: „Austria Sport?!" Sofort breitete sich dieser Name wie ein Lauffeuer unter den Leuten aus, und jeder wollte plötzlich solch ein Hemd haben. „Immer nur eins rausgeben", zischte Uli, und innerhalb von 20 Minuten hatten alle Hemden einen neuen Besitzer und Uli etwas Geld für die nächste Reise.

In der Schweineanlage gab es wieder mal Ärger. Die Ferkel wurden in einem Alter von fünf Wochen von den Müttern abgesetzt und kamen dann für einige Wochen in den sogenannten Läuferstall. Hier lebten sie in Doppelstockkäfigen bis zu einem Gewicht von etwa fünfundzwanzig bis dreißig Kilogramm. Danach wurden sie in eine Mastanlage verkauft. Das Klima in den Abteilungen war oft nicht das beste, die Tiere liefen nur auf Vollspaltenböden ohne jegliche Einstreu und mussten den Stress der Umstellung bewältigen. So blieb es nicht aus, dass sie in den ersten drei Wochen oft massenhaft an Durchfällen mit Kreislaufbeteiligung erkrankten, die bei Nichtbehandlung zum Tode führten. Viele Dinge wurden versucht, um die gefürchtete Colienterotoxämie in den Griff zu bekommen. Die Wirkung von Antibiotika verpuffte meist, Azetylsalicylsäure, sprich Aspirin, wirkte ganz ordentlich, auf die Zusammenhänge will ich hier nicht eingehen. Und dann kam ein Wundermittel mit dem Namen „Bisergon" in die Erprobung. Dies war ein Nebenprodukt der Film- und Farbenfabrik Wolfen und stellte sich als 2-Methyl-chinoxalin-1,4-di-N-oxid-3-carbonsäure-ethanolamid dar. Es soll keiner denken, ich hätte die Formel seit dreißig Jahren im Kopf, nein, ich nicht, aber der damalige Chef des anorganischen Labors, Dr. Zoelsch, wusste alles noch ganz genau, nach all den langen Jahren, unfassbar. Ich durfte es ausprobieren im Auftrag des Staatlichen Veterinärprüfinstituts Berlin. Genaue Berichte waren gefordert, und in geregelten Abständen fuhr ich nach Berlin zum Rapport.

Es war wieder einmal so weit. Berlin hatte ja für uns den Charme des Einkaufens von Dingen, die es in der „Zone", wie die Berliner das übrige Gebiet der DDR nannten, nicht gab. So kutschte ich mit Regina in die Hauptstadt, sie ging einkaufen, ich fragte mich zum Institut durch. Ich war viel zu früh dort und der zuständige Kollege konnte mich erst etwa eine Dreiviertelstunde später empfangen. So schlenderte ich die Hannoversche in Richtung Friedrichstraße entlang, ganz langsam, denn ich hatte ja Zeit. Am Rand, kurz vor der Friedrichstraße, stand ein Polizeiauto, rechts vor einem Hauseingang wieder Polizei. Ich hatte keine Ahnung, was das bedeuten sollte. An der Einmündung zur Friedrichstraße liefen zwei unauffällig auffällig gekleidete junge Männer in Lederjacken und Sandalen hin und her und schauten pausenlos nach rechts und nach links. Ich wusste immer noch nichts, kehrte wieder um und schlenderte langsam in Richtung Institut. Aber so weit kam ich gar nicht. Zwei Volkspolizisten standen plötzlich vor mir, verlangten den Ausweis, ich sollte laut und langsam meinen Namen und die Adresse in ein Mikrofon sagen. Meine Antwort, dass doch wohl einer von den beiden lesen könne, kam nicht so gut an. Was ich hier machen würde? Ich erzählte von meiner wichtigen Mission in Sachen Tiergesundheit und wurde entlassen, nachdem der Polizist im Wagen meine Angaben überprüft hatte. Mir war immer noch nicht klar, was hier abging.

Im Institut erzählte ich mein Erlebnis und erzeugte eine gewisse Heiterkeit. Ich war an der ständigen Vertretung der Bundesrepublik vorbeigegangen, die streng bewacht wurde von unseren Sicherheitsorganen, und da hatte mein langsames Hin- und Herschlendern natürlich den Verdacht der Genossen erregt. Ich war wieder einmal wütend über die Maßnahmen, die angeblich nur unserer Sicherheit dienten.

Wieder einmal sollten Maßnahmen zur Optimierung der tierärztlichen Arbeit die staatlichen Tierarztpraxen umkrempeln. Bisher war es ja so, dass jeder Praktiker seinen Dienst so gestaltete, wie es ein Privatpraktiker auch getan hätte. Zwar waren die Grenzen enger gesteckt, ein Kreistierarzt wachte mehr oder weniger argwöhnisch über seine Schäfchen, aber von einigen Ausnahmen abgesehen konnte sich jeder sein eigenes kleines Reich schaffen. Den obersten Veterinärbehörden und natürlich der allmächtigen Partei waren diese Strukturen schon länger ein Dorn im Auge. So beschloss man, diese Form der Praxisführung zu ändern und Gemeinschaftspraxen zu gründen. Der tiefere Sinn bestand darin, die Kontrolle über jeden einzelnen Kollegen zu verbessern. Einzelne Vorzeigeprojekte gab es dann auch bald, und unser Kreistierarzt war natürlich auch überzeugt von dieser Form der Arbeit.

Wir vier Kollegen im Wieratal wechselten uns schon seit Jahren mit den Wochenend- und Nachtdiensten ab und sollten in dieser

Zusammensetzung auch die neue Gemeinschaftspraxis bilden. Um uns von den Vorteilen einer solchen überzeugen zu lassen, mussten wir zusammen mit dem KTA und unseren als Praxishilfen halbtags angestellten Ehefrauen eine Praxis in Grimma besuchen. Dort hatten die Kollegen eine gemeinsame Apotheke, nicht wie bisher jeder seine eigene. Morgens mussten alle zu einer Besprechung in den sogenannten Stützpunkt fahren, egal, wie weit der weg war, dort verteilte der nun als Leiter des Ganzen ernannte Tierarzt die Arbeit, und abends wurde dann ausgewertet und den nun dort arbeitenden Ehefrauen oder Sekretärinnen die für das Erstellen von Rechnungen relevanten Daten übermittelt. Manche im Sinne der Parteibonzen vorbildliche Praxen begannen den Tag mit einer Zeitungsschau, nicht über Sport und Urlaubsreisen, sondern über tagesaktuelle politische Themen. Der Quantensprung zur Erziehung sozialistischer Persönlichkeiten sollte so gelingen. Bei mir war aber schon damals Hopfen und Malz verloren, und ich denke, bei meinen drei Mitstreitern auch. Also hörten wir uns alles an, unser Chef fand es toll, wir meckerten vorsichtig an der einen und der anderen Sache herum, konnten uns aber nicht offen dagegen stellen. So begann das Drama auch in unserem Kreis.

Als Erstes musste ein geeignetes Objekt gefunden werden. Mein Nachbarkollege tat sich plötzlich mit einem verdächtigen Elan hervor, sicher wollte er der Leiter der STGP werden, und präsentierte in einem ehemaligen Kindergarten im zweiten Stock ein Objekt, was von ihm und Wittig als gut befunden wurde. Zweiter Stock, wer sollte dann die vielen Medikamente raufschleppen und überhaupt – ich lehnte das alles ab und sagte, ich würde nicht mit dorthin ziehen, lieber nähme ich alle Konsequenzen in Kauf. Das Projekt scheiterte. Mein Kollege nahm sofort Witterung nach etwas Besserem auf, und er fand dies in einem großen, barackenähnlichen Bau, den die ansässige LPG aufgegeben hatte, weil sie in ein anderes Gebäude gezogen war. Nun konnte ich nur noch die Flucht nach vorn antreten, besorgte über einen Surffreund aus Berlin, der Apothekenmöbel herstellte, für alle drei Gemeinschaftspraxen im Kreis eigens für uns hergestellte Schränke mit Glasschiebetüren, richtig tolle Teile, Geld spielte keine Rolle. Die Räume unseres neuen Domizils wurden hergerichtet, Maler, Fußbodenleger, Maurer, Sanitärklempner gaben sich die Klinke in die Hand. Die Heizung bestand aus einer Kohleschwerkraftheizung, und das war der Knackpunkt des Ganzen. Auf meine Frage, wer denn zum Beispiel über Weihnachten dort heizen sollte, sagte Wittig nur, das würde sich doch regeln lassen, wo ein Wille wäre, gäbe es auch einen Weg, einen sozialistischen, meinte er sicher. Aber dem war natürlich nicht so. Die Heizung wurde angefeuert zur Probe und es wurde auch überall warm, in jedem Zimmer stand ein Telefon, die Schränke und Schreibtische waren noch nicht aufgebaut, die Klos funktionierten. Und dann war der Winter da, es kamen lange Weihnachtstage, keiner wollte nach unserer zukünftigen Behausung schauen, die Temperaturen sanken auf zweistellige Werte unter Null. Ich hatte frei und war mit der Familie in Oberwiesenthal und kam erst nach Neujahr zurück, wollte aber recht schnell nach dem Rechten sehen im Stützpunkt und gondelte die zehn Kilometer nach Ehrenhain. Es kam, wie es kommen musste: Das Gebäude stand ganz einsam in der Nähe des Sportplatzes, von keinem Mensch richtig einsehbar. Einige Fensterscheiben waren zerbrochen, alle Telefone geklaut. In sämtlichen Räumen waren die Heizkörper geplatzt, ganz außen an den oberen Ecken, und die rostbraune Brühe hatte die helle Tapete völlig versaut. Ich hatte es vorausgesehen, Kreistierarzt Wittig war am Boden zerstört.

Eins muss ich noch einfügen: Ich hatte im Vorfeld einen Experten für Heizungen aus Leipzig zur Begutachtung der Heizung bestellt, und der hatte gravierende Mängel festgestellt. Zum Beispiel besaß das Ausdehnungsgefäß keine Entlüftung, und auch der Behälter fürs warme Wasser sei explosionsgefährdet. Aber das spielte bis dahin keine Rolle, ich würde alles nur negativ sehen und mit gutem Willen und der richtigen Überzeugung würden die Schwierigkeiten schon gemeistert, hatte mein Chef gemeint. Das wurden sie ja nun auch, alles kaputt.

Nun kam noch ein ganz entscheidender Fakt zu dem ganzen Unterfangen hinzu. Wir litten unter chronischem Mangel an Treibstoff für unsere Dienstfahrzeuge und bekamen monatliche

Vorgaben für den Verbrauch, die schon unter normalen Praxisbedingungen nie eingehalten werden konnten, zumal unsere Autos wahre Spritfresser waren. Und da sollten wir noch zweimal am Tage hin- und zurückfahren, etwa vierzig Kilometer pro Tag und Kollege, ein Unding. Und dann ging alles ganz schnell. Die DDR hatte einen derartigen Energiemangel, dass unser Projekt überhaupt nicht mehr zu realisieren war, kaputt war ja eh alles, es war gescheitert. Ich konnte bei mir im Ort einige Räume in einer ehemaligen Bauunternehmervilla für unsere Zwecke anmieten. Wir hatten dort eine Frau sitzen, die sich um alles kümmern sollte, aber den ganzen Tag ihrer Lieblingsbeschäftigung, dem Töpfern, nachging, vom Staat aber bezahlt wurde. Sie war nur angestellt worden, weil ihr Mann seinen Posten als Agrarflieger sonst nicht angetreten hätte.

Wir trafen uns auch nicht täglich, jeder hatte trotz Zentralapotheke seine Medikamente noch zu Hause, wir nannten uns zwar „Staatliche Gemeinschaftspraxis Wieratal", arbeiteten aber wie eh und je, jeder für sich verantwortlich. Ich glaube heute, wenn ich darüber nachdenke, Peter Wittig hatte es aufgegeben, uns zu einer sozialistischen Vorzeigepraxis zu machen.

Ein Kuriosum waren auch die sozialistischen Wettbewerbe. Alle Vierteljahre wurde ausgewertet, es ging meist um die Senkung der Tierverluste, wobei hier ganz eindeutig die Qualität des Betriebes ausschlaggebend war, denn der Tierarzt konnte sich bei Schlampereien noch so anstrengen, die Kälber starben eben, wenn der Melker öfters besoffen seinen Dienst antrat. Aber wie es so ist, wir waren drei Gemeinschaftspraxen im Kreis, und da erhielt jede Praxis einen Preis, zwar abgestuft in der Höhe der Geldsumme, aber auch für den Letzten war etwas dabei. Nur lohnte es sich kaum, die Summe durch alle Mitarbeiter zu teilen, einige Jahre lang machten wir das so und keiner hatte was davon. Wir waren vier Tierärzte und vier Veterinärtechniker und ich schlug vor, das Geld zu sammeln, bis eine schöne runde Summe zusammengekommen sei und wir davon gemeinsam etwas unternehmen könnten. Gesagt, getan. Ich bestellte Karten für die „Leipziger Pfeffermühle", die Wartezeiten für dieses angesagte Kabarett waren enorm lang, aber wir bekamen einen Termin etwa drei Monaten später. Nun hatte ich die Idee, dies doch mit einem schönen Abendessen und anschließendem Barbesuch zu krönen. Ich setzte einen Brief auf an die Geschäftsleitung des Hotel „Merkur", so wie das „Palast-Hotel" in Berlin ebenfalls eins, das nur Westgeld wollte, aber in Ausnahmefällen auch für Ostmark seine Dienste anbot. Ich schrieb natürlich von „sozialistischer Brigade" und solchem Stuss, aber es war erfolgreich, wir bekamen einen kleinen Raum für uns. Da unsere Frauen auch als Praxishilfen angestellt waren, war unsere Truppe auf zwölf Personen angewachsen, die Ehepartner, die nicht zum Veterinärwesen gehörten, konnten selbstverständlich auch mitkommen.

Zuerst die „Pfeffermühle". Alle waren begeistert. Dann ins „Merkur". Dort fragten schon einige wenige, warum denn so ein aufwendiges Essen, da hätten wir doch sparen können. Na ja, allen kann man es nie recht machen.

Als es in die Bar gehen sollte, die Plätze hatte ich auch schon bestellt, hatten einige plötzlich keine Lust mehr, sie wollten lieber das Geld dafür ausgezahlt bekommen. Ich hatte die Schnauze gestrichen voll, vorher hatten wir alles gemeinsam abgesprochen und keiner hatte dagegen gestimmt. Das Geld gab es nicht wieder, der Rest von uns feierte in der Bar und versuchte, die Stimmung nicht kippen zu lassen. Klaus Wagner meinte lachend: „So etwas organisierst du bestimmt nie wieder." Er hatte recht, die späteren Prämien habe ich dann immer geteilt, gerecht, und keiner hatte so richtig was davon.

Der Herbst hatte den Wald vor unserer Haustür in ein leuchtendes Meer aus den verschiedensten Farben verwandelt, die Tage waren noch angenehm warm, und wir saßen am Abend oft noch auf unserer Terrasse. Nach Einbruch der Dunkelheit klingelte es plötzlich an der Haustür. Draußen standen zwei mir unbekannte Männer, der eine älter, der andere, jüngere, war der Sohn, etwa 30 Jahre alt. Aus dem geöffneten Kofferraum ihres Autos kam ein leises Wimmern. Die beiden waren Jäger, der Vater erster Kreissekretär der SED in einem Kreis außerhalb von Altenburg, der Sohn ein Schauspieler, dessen Namen wir nie irgendwo entdecken konnten. Sie waren auf Wildschweinjagd gewesen und in der aufkommenden Dunkelheit hatte der Sohn, ohne das Opfer genau anzusprechen, wie es im Jägerjargon heißt, auf ein Rascheln im Busch einfach drauflos geschossen. Es war aber kein Schwein, sondern der eigene Hund, die arme Sau. Das Geschoss war am Kopf eingetreten, hatte Muskeln zerfetzt, um dann seitlich am gesamten Körper Ein- und Ausschussverletzungen zu produzieren. Das Tier war im Schockzustand, meine Möglichkeiten zu Hause sehr eingeschränkt. Damals hatte ich in unserem Haus die Kleintierpraxis noch nicht integriert, wir mussten erst in den Stützpunkt fahren. Dort flickte ich das arme Tier so gut es ging zusammen, Antischockbehandlung und alles Nötige, und hoffte, dass bei entsprechender Nachbehandlung und Pflege der Hund wieder auf die Beine kommen würde.

Der Bonze wohnte in Altenburg in einem Neubaugebiet. Als ich dort zur Nachbehandlung eintraf, war das Tier nicht etwa in der warmen Küche auf einer weichen Unterlage, nein, die hatten es im Freien in einer Kiste, die zur Aufbewahrung von Streusand diente, untergebracht. Ich war fassungslos und sagte, sie sollten nun einen anderen Tierarzt zur Weiterbehandlung hinzuziehen. Der Kollege wohnte auch in Altenburg, war spezialisiert auf Kleintiere und schaffte es dann trotz dieser unwürdigen Haltungsbedingungen, den Hund wieder einigermaßen gesund zu machen. Heute hätte so ein Verhalten der Besitzer sicher harte Konsequenzen mit sich gebracht, aber damals war ein Parteikader relativ unangreifbar.

Sport hat in meinem Leben immer schon eine große Rolle gespielt. Das Judo verlor langsam den Stellenwert, den es einmal eingenommen hatte, zumal sich mit zunehmendem Alter meine Rückenbeschwerden verstärkten und das viele Fallen beim Training nicht gerade förderlich für die Wirbelsäule war. Aber irgendein Sport, der auch Spaß machen sollte, musste her. Skifahren beschränkte sich nur auf einige wenige Wochen im Jahr, das Tennisspielen hatte ich schon vor Jahren wieder aufgegeben, eine Begeisterung fürs Joggen habe ich nie empfinden können, trotz bester Möglichkeiten direkt vor unserer Haustür. Nie habe ich das von überzeugten Läufern geäußerte Glücksgefühl, das nach Überwindung der ersten Schmerzen sich wie ein Rauschzustand einstellen soll, gefühlt. Ja, ich bin auch manchmal dreimal in der Woche zehn Kilometer durch den Wald gerannt und habe meine Kondition merklich verbessern können, aber außer Gedanken, warum ich so blöd bin und wie ein Geisteskranker durch den Wald renne und lieber zu Hause einen eiskalten Wodka trinken würde, habe ich nichts gespürt.

Da sah ich eines Abends im Fernsehen, West natürlich, wie vor Hawaii ein Knirps auf einem Brett mit Segel stand und durch die Wellen flutschte. Die Szene ging mir nicht aus dem Sinn, und ich erzählte dies meinem Freund Micha aus Leipzig. Das wäre Windsurfen, sagte er, und bei uns gäbe es schon Leute, die solche oder ähnliche Bretter bauen würden. Meine Begeisterung war nicht mehr zu bremsen. Micha nannte mir die Adresse von Gundolf Möde in Güstrow, der würde Bretter aus Kunststoff bauen. Micha selbst hatte ein Holzbrett aus Berlin, von einem Bootsbauer kunstvoll zusammengezimmert, dazu einen gebogenen Holzmast, auch aus einzelnen Teilen geleimt. Gebogen, weil die Berliner nur Fotos eines Surfbrettes als Vorlage nutzen konnten, und da war der Mast natürlich gebogen, weil das Segel eine gewisse Vorspannung ausübte.

Ich machte mich an einem kalten Novembertag auf den Weg nach Güstrow, nachdem Möde mir ein komplettes Brett versprochen hatte. In einem werkstattähnlichen Zimmer konnte ich mein Schmuckstück in Augenschein nehmen, die Einzelheiten wurden mir erklärt, der Mast war aus Stahl, das Segel schon aus Poliant. Ich konnte dort übernachten, lernte Schwager und Ehefrau kennen und musste mit den dreien die halbe Nacht auf das für mich neue Sportgerät trinken. Alle waren ziemlich besoffen, und so fiel mir der Unterschied zu einem Brett, das Gundolf in einem anderen Raum liegen hatte, überhaupt nicht auf. Das sah doch etwas anders aus als meins, kürzer, schmaler, gefälliger. Es war der Nachbau des Ten Cate, zu dieser Zeit das Nonplusultra im Westen. Micha hatte natürlich auch schon eine Vorbestellung laufen, ich war derjenige, der den Ladenhüter abkaufte. Schwer war meine „Mödeente“, so um die dreißig Kilogramm. Auch das Segel stellte sich als viel zu klein heraus, aber zum Lernen war alles ganz okay.

Wie nun beginnen? Ich borgte mir ein Buch über die ersten Schritte im Windsurfen, fotografierte – Kopieren war damals noch nicht – jede wichtige Seite und entwickelte alles zu Hause auf dickes Fotopapier. Es wurde ein stolzer Haufen, aber ich konnte nun meine theoretischen Kenntnisse erweitern und wartete sehnsüchtig auf das Frühjahr, um endlich starten zu können.

Das Eis war gerade von den Gewässern rund um Altenburg verschwunden, als ich es nicht mehr aushielt, meine Sachen zusammenpackte und mit Regina als meine Betreuerin Richtung Bocka zu einer stillgelegten und gefluteten Tongrube aufbrach. Kalt war es noch, aber ich zwängte mich in meinen alten Tauchanzug, zog Füßlinge und Turnschuhe aus Leinen an und ließ meine neue Errungenschaft ins Wasser. Aber halt, erst mal musste ja das Segel aufgezogen und der Gabelbaum mit dem Mast verbunden werden. Von Knotentechnik hatte ich überhaupt keine Ahnung, und so verging eine geraume Zeit, bis endlich alles so halbwegs festsaß. Regina stand am Ufer und musste mir immer Anweisungen geben, was ich machen sollte, genau, wie es in dem fotografierten Buch stand.

Ich krabbelte aufs Brett, versuchte das Segel aus dem Wasser zu ziehen und patsch, lag ich wieder im See. Immer wieder, bis ich vielleicht nach dem fünfzigsten Versuch das Segel und den Gabelbaum halbwegs sicher bewegen konnte. Ein ganz leichter Wind blähte das Segel, und ich fühlte beim Angleiten des Brettes erst mal ein richtiges Glücksgefühl. Ich bewegte mich auf dem See. Regina schrie mir zu, was ich bei einer nun anstehenden Wende machen sollte, denn ich kam einem Angler am Ufer bzw. dem Schwimmer seiner Angel gefährlich nahe. Ich machte alles genau so, wie Regina es mir vorgab, aber irgendetwas war sicher falsch, denn plumps, lag ich wieder im Wasser. Wieder zehn Minuten vergebliches Bemühen, dem Brett meinen Willen aufzuzwingen. Dann endlich war es geschafft, und der Kahn schipperte in die andere Richtung. Dort, am anderen Ufer, saß ein weiterer Angler. Wieder die gleiche Situation.

Am Ende waren die Angler wütend und entnervt von dannen gezogen, ich kam irgendwie ans rettende Ufer und war doch recht glücklich über die winzigen Schritte zum Supersurfer.

Über viele Jahre sollte das Windsurfen meine sportlichen Aktivitäten beherrschen. Die erste Regatta in Güstrow ist noch immer in meinen Erinnerungen präsent. Ich startete mit der „Mödeente", eine Vermessung und einigermaßen einheitliche Bretter waren damals zu Beginn der Wettkämpfe noch nicht obligatorisch. Alle Starter dümpelten auf oder in der Nähe der Startlinie herum, beim Ertönen des Startsignals versuchten alle, möglichst hoch am Wind die nächste Boje zu erreichen. Ich auch, aber so neunzig Grad gegen den Wind kam ich einfach nicht über die Startlinie, mein Brett gehorchte mir nicht und warf mich bockig, wie es eben mal war, immer wieder ab. Ich schob es schwimmend über die Linie, stieg auf und segelte, wenn auch als Letzter, zur ersten Boje. Die zu umrunden war aber wieder so gut wie unmöglich, ich lag dauernd im Wasser. Zu allem Unglück kamen nun die ersten Surfer schon zum zweiten Mal an diese Boje, und Sibylle Längert rief mir angstvoll zu: „Buddy, bleib im Wasser, bis ich vorbei bin." Die Gefahr, von mir mit in die Fluten gerissen zu werden, war auch enorm groß.

Ich schaffte keine einzige ganze Runde, das Schwert brach mir auch noch und so war die erste Regatta für mich ein voller Erfolg. Wenn nicht die tollen Abende mit viel Alkohol, die feine Kameradschaft und der Zusammenhalt der überschaubaren Surfgemeinde und meine legendäre Halsstarrigkeit gewesen wären, ich glaube, ich hätte das Unternehmen Surfen schon bald aufgegeben. Aber so wurden es wunderschöne Jahre, meine Ente konnte ich glücklicherweise wieder verkaufen an einen wie ich zu Anfang ebenso ahnungslosen Menschen.

So langsam beherrschte ich mein neues Brett und wurde bei den vielen Regatten der folgenden Jahre nie mehr Letzter. Aber so ganz vorn bin ich auch so gut wie nie mitgesegelt, irgendwie fehlte mir das Gefühl für den Wind, was besonders bei Bedingungen gefragt war, die einer Flaute sehr nahe kamen. Aber das konnte mich nicht davon abhalten, verbissen weiter zu trainieren.

Wenn alle Leute über zu viel Wind lamentierten und das Wetter verfluchten, dann prickelte es bei uns Surfern. Oft arbeitete ich mein Tagespensum in der Praxis schon vormittags ab, ließ mich unter fadenscheinigen Gründen wie: „Ich muss tote Ferkel nach Leipzig ins Untersuchungsamt bringen" von meiner Nachbarkollegin vertreten, schnallte mein Surfzeug aufs Dach und gondelte zu einem See in der Nähe.

Legendär waren die siebentägigen Trainingscamps zur Vorbereitung auf die DDR-Bestenermittlungen, später DDR-Meisterschaften, an der Müritz. Kuno Reschschwamm, ein ehemaliger Segler, der die DDR auch international vertreten hatte und an der Seefahrtsschule in Warnemünde tätig war, organisierte dies jedes Jahr und schickte allen, die irgendwo angestellt waren, ein Schreiben mit amtlichem Kopf, um eine Freistellung von der Arbeit zu erwirken. Das waren dann immer acht Tage wie zusätzlicher Urlaub, mit Theorie am Vormittag, und sobald der Wind sich zeigte, ging es aufs Wasser. Nach ein paar Jahren mit solcher Freistellung konnte es einer meiner Kollegen, der auch Vorsitzender der Gewerkschaft war, nicht mehr ertragen und fragte mich bissig, wann denn nun endlich mal die Erfolge kommen würden, dauernd die Freistellungen und keine positiven Ergebnisse. Ja, ich müsste eben noch viel mehr trainieren, dann käme vielleicht der Sprung nach vorn, antwortete ich.

Wir waren wieder einmal für einige Tage an der Müritz mit unseren Freunden aus Berlin und von der Küste, die auch die besten Surfer stellten. Henry Hübschen als zukünftiger Stern am Regattahimmel tauchte auch zum ersten Male auf, und da kamen zwei Ehepaare aus Leipzig, die ich bisher noch nicht gekannt hatte. Besonders die Frauen machten einen etwas hochnäsigen Eindruck, aber auch deren Männer waren uns, Micha und mir, nicht sympathisch. Auch unsere Frauen zeigten sich nicht gerade angetan von den vieren. Es waren Beckers und Beyerls aus Leipzig, die nun Aufnahme in unseren Surferkreis suchten. Sie kamen dann auch fast zu jeder Regatta, und wie es im Leben so ist, wir lernten, sie einfach gern zu haben. Besonders Roland Becker hatte einen subtilen, nicht immer von jeden verstandenen Humor, der einen langen Abend so richtig lustig machen konnte. Spaß machte es auch, wenn er bei einer Regatta, immer etwas schneller als ich, vor mir ins Wasser fiel, weil wieder einmal einer seiner luschig geknoteten Tampen aufgegangen war und er erst mal seine Brille von Wassertropfen befreien musste, um dann mühselig, im Wasser liegend, einen neuen Knotenversuch zu unternehmen.

Er hatte auch immer seine speziellen Probleme mit der Staatsmacht. Einmal kamen er und seine Begleiterin aus Ungarn zurück, und er hatte auf dem Campingplatz fleißig westdeutsche Zeitschriften gesammelt, die Bürger aus dem anderen Teil Deutschlands ihm überlassen hatten. Nun nicht etwa irgendwelche Klatschblätter, sondern „Stern" und „Spiegel" und so etwas. Sorgfältig hatte er alles in gerollter Form in den Lehnen der Rücksitze verstaut, muss aber bei dieser Tätigkeit von den auf ausländischen Campingplätzen immer anwesenden Stasileuten beobachtet worden sein. Er kam also am Grenzübergang zur DDR zur Kontrolle und wurde gefragt, ob er etwas Unerlaubtes mitbrachte. Sein „Nein" führte dazu, dass er und sein Weibchen aussteigen mussten. Zielsicher ging der Zöllner zur Rückbank, riss die Lehnen nach vorn und fand natürlich die staatsgefährdenden Schriften. „Was machen Sie denn mit den Zeitungen?", fragte Roland. „Verbrennen Sie die etwa?" „Ja, natürlich", war die Antwort. „Heinrich Heine hat schon gesagt, wer Bücher verbrennt, verbrennt auch Menschen", gab Roland zum Besten. Und dann nahm er den Stoß Zeitschriften und warf ihn in die Luft, alles lag verteilt auf dem Boden. Der Genosse wurde weiß vor Wut, holte einen weiteren Zöllner hinzu und forderte Roland auf, noch mal seine Worte zu wiederholen. „Ich habe doch nichts gesagt", war die mit Unschuldsmiene vorgebrachte Antwort. „Na, das von dem Verbrennen", rief der Mensch vom Zoll. „Davon weiß ich aber nichts." „Jetzt heben Sie schnell die Zeitungen auf." „Ich hebe sie nicht auf, Sie wollen sie doch haben."

Roland hatte Glück, dass er im Betrieb seines Vaters angestellt war, in einem VE-Betrieb hätte er im Nachhinein noch Riesenärger bekommen. Das waren ja nicht die einzigen Schoten, die er sich mit den Behörden leistete, und manchmal kam uns der Gedanke, alles sei nur inszeniert, um andere zu provozieren, wie es von Stasispitzeln gern gesehen wurde. Aber Roland hatte nur unheimlich viel Glück, und ganz andere, denen man es nie zugetraut hatte, entpuppten sich viele Jahre später als Zuträger für das Ministerium für Staatssicherheit.

Wir waren wieder einmal zusammen mit unseren Frauen und dem Wohnwagen, beide hatten wir einen „Friedel", klein, aber gemütlich, am Balaton in Ungarn, da dort gerade die Surfweltmeisterschaft von „Windglider" ausgetragen wurde. Ich hatte meinen Wohnwagen von Micha gekauft, denn der bekam einen besseren, einen „Intercamp". Fünf Jahre war der „Friedel" nun alt, für den Neupreis bot Micha ihn uns an, und nach reiflicher Überlegung sagten wir zu. Als es aber dann so weit war und die Übernahme stattfinden sollte, stieg der Preis plötzlich um stolze zweitausendfünfhundert Mark. Für uns ein Schock, aber so war Micha auch, knallhart bei seinen Geschäften, ansonsten ein toller Kumpel. Wir borgten uns einen Teil des Geldes und kauften.

Von unserer Sportführung gab es die strikte Anweisung, nicht offiziell an der Weltmeisterschaft teilzunehmen, was bei meiner Leistung auf dem Wasser auch sehr richtig war. Aber aus Berlin waren die gerade gekürten DDR-Meister angereist, denen dies natürlich recht schwer fiel. Wir bekamen von dem Veranstalter jeder ein komplettes Brett und konnten uns abseits der Regattastrecke herrlich damit vergnügen. Roland hatte die Woche vorher an der DDR-Meisterschaft teilgenommen und trug ein T-Shirt mit einem entsprechenden Aufdruck. Offiziell gab es solche Kleidungsstücke nicht zu kaufen, aber zwei clevere Burschen aus der Szene stellten für alle möglichen Surfveranstaltungen Shirts mit teils recht guten Aufdrucken her, so für die zu Ende gegangene DDR-Meisterschaft, aber auch für die „Windglider WM". Neben einem surfenden Sportler war in großen Buchstaben „Windglider WM – Balaton 1980" zu sehen. Und Sibylle Längert, wieder einmal die beste der DDR-Surferinnen, trug ein solches Stück, was sofort von dem Chef des „Windglider"-Unternehmens, Herrn Ostermann, entdeckt wurde. Er fragte ganz verdutzt, woher sie denn das Shirt hätte. „Aus der DDR", antwortete Sibylle stolz.

Nun muss gesagt werden, dass man das gesamte Werbematerial des Veranstalters an der Grenze zurückgehalten hatte und der nun ganz scharf war auf das Zeug aus dem Osten. Die beiden Hersteller der Shirts hatten noch den ganzen Kofferraum voll mit den Dingern, und sie machte das Geschäft ihres

Lebens. Alles für harte D-Mark und zu einem guten Preis zu verkaufen, das hatten sie sich nie träumen lassen. Sie liefen auch die ganzen Tage mit einem Blick herum, als ob sie im siebten Himmel wären.

Aber nun zu Rolands Shirt: Das Westfernsehen hatte ein Filmteam zu diesen Meisterschaften entsandt, und auf der Suche nach Storys am Rande des Regattageschehens kam Roland ins Bild. Wie er es angestellt hat, den ganzen Tag mit den Fernsehleuten auf einem großen Boot zu verbringen und sich verwöhnen zu lassen, wir wissen es nicht. Aber die machten ein Interview mit ihm, sein T-Shirt in Großaufnahme, das so begann: „Roland Becker aus Leipzig, Sie kommen gerade von den DDR-Meisterschaften ..." Roland hatte dort nur einen abgeschlagenen Platz belegt, was er aber tunlichst verschwieg. Kurzum, das Interview wurde dann auch im Westfernsehen gesendet, der Sportchef der DDR sah dies mit Stirnrunzeln, fragte auch nach Rolands Platzierung und schaltete den Machtapparat des Staates ein. Unser Club, wir waren inzwischen alle irgendwo organisiert, musste eine außerordentliche Mitgliederversammlung einberufen. Dort saß dann auch ein uns völlig unbekannter Mann und schrieb eifrig, obwohl alle still dasaßen. Nur der Vereinsvorsitzende begründete recht fadenscheinig, was für Verfehlungen Roland begangen hätte, das Ansehen des DDR-Sports in den Dreck gezogen und somit dem Staat geschadet hätte. Er wurde aus dem Verein ausgeschlossen und keiner, auch nicht Rolands beste Freunde, sagte etwas dagegen. Ich aber auch nicht. Alle hoben die Hand und besiegelten Rolands Ausschluss. Es war deprimierend, diese Machtlosigkeit zu spüren. Jetzt, fünfunddreißig Jahre später, will keiner seinen Arm gehoben haben.

Aber unser privates Miteinander wurde dadurch nur noch enger. Um an der See zu surfen, fuhren wir einige Jahre lang nach Garski an die polnische Ostsee, aber auch in jedem Jahr so um den achten Mai herum auf die Insel Rügen nach Thiessow. Wir durften dort zwar nicht auf die Ostsee, aber der Greifswalder Bodden bot uns ein gutes Revier zum Surfen. Aufpassen musste man aber immer höllisch, nicht über die gedachte Linie zwischen dem Strand und einer Insel, dem Ruden, zu schippern, denn dies bedeutete schon so etwas wie versuchte Republikflucht. Einer unserer Surfkameraden verbrachte deswegen einmal eine Nacht in einer Gefängniszelle, bevor alles aufgeklärt werden konnte.

Die Truppe junger Leute, die sich zu dieser Zeit in Thiessow einfand, bestand aus Berlinern und einigen Leipziger Surfern, Roland war auch immer mit dabei.

In einem Jahr hatten Regina und ich zu Hause eine kleine Feier aus irgendeinem Anlass gehabt, und es hatte unsere Spezialität gegeben – Spanferkel. Ein Bäcker in unserer Nähe hatte das Tier vorzüglich in seinem Backofen zubereitet, es hatte irre gut geschmeckt, aber es war noch ein Viertel des Tieres übriggeblieben. Das kam nun mit auf die Reise gen Bodden. Den Kopf hatte ich auch mitgenommen.

Abends saßen wir vor unseren Zelten und Wohnwagen, der Alkohol schmeckte, und ich stachelte Roland an, einen Spaß mitzumachen. Etwa zwanzig Meter hinter unseren Sitzplätzen stand ein altes Trafohäuschen, auf dessen Dach legte ich den Kopf des kleinen Schweines, gut sichtbar für alle, aber so, dass mich keiner dabei beobachtet konnte. Nur Roland wusste Bescheid, und natürlich Regina. Als es langsam dämmerig wurde und alle schon einige Gläser Wodka und Bier getrunken hatten, schaute Günther zu dem Häuschen und meinte, es sähe aber putzig aus, was dort auf dem Dach läge. Man könnte denken, es sei ein Schweinekopf, aber das könne ja nicht sein. Roland antwortete, er würde es für einen solchen Kopf halten, er wette um eine Flasche Sekt. Die beiden machten die Wette und Roland gewann natürlich. Das war ziemlich gemein, aber wir hatten unseren Spaß.

Anschließend machten wir ein großes Lagerfeuer, obwohl das streng verboten war. Über dem Feuer, in gehörigem Abstand, lag ein dicker Ast einer umgestürzten Kiefer. Roland balancierte auf diesem Ast und sang den „Kleinen Trompeter“, mit Schluchzern und Lachanfällen dazwischen. Es war dunkel geworden, den Feuerschein konnte man weit sehen, und plötzlich kam ein älterer Mann mit dem Fahrrad angetuckelt. Er stellte sich als der Oberbrandmeister dieser Gegend vor und bat uns ganz höflich, das Feuer zu löschen, sonst müsse er Alarm auslösen und das würde teuer werden. Die Leipziger Geschäftsleute fragten, was denn so was kosten würde und wollten, dass wir zusammenlegten und das Geld aufbrachten, denn so einen Spaß konnte man sich doch nicht entgehen lassen. Mir und Regina wurde leicht schwarz vor Augen. Es war nicht nur das Geld, das wir nicht hatten, sondern auch die negativen Folgen, die das Ganze auslösen würde. Auch Micha war auf unserer Seite, wir drei löschten alles und der Feuerwehrmann konnte wieder seinen verdienten Feierabend genießen.

In Garski an der polnischen Ostsee campten wir auf der Wiese eines Bauern, wir Leipziger und einige unserer Freunde aus Berlin. Das Surfen war recht schwierig, Brandung waren wir ja überhaupt nicht gewohnt, und so lag ich mehr im Wasser, als dass ich zum ordentlichen Fahren gekommen wäre. Aber ich gab nicht auf und versuchte es immer wieder, bis eine gewaltige Welle mich vom Brett spülte und selbiges an meinen Oberschenkel knallte. Das Ergebnis war eine schmerzhafte Schwellung. Uli Fischer, der kleine Sohn von Renate und Axel, rief dann auch begeistert über den Zeltplatz: „Guckt mal, da kommt der alte Buddy angehumpelt." Und der andere Uli, Jürgen Ulrich, schleppte sein Brett und Rigg hunderte Meter im seichten Wasser zurück, denn er war weit abgetrieben und erklärte mit verträumtem Blick, ihm wäre nun endlich der Wasserstart geglückt. Keiner hatte es gesehen und keiner hat ihm geglaubt.

Sibylle Längert war der Liebling der Bauersfrau, bekam dort auch jeden Morgen frische Milch und stellte praktisch die Verbindung zu uns her. Eines Tages kam sie angelaufen und bat mich im Auftrage der Bäuerin, mal nach deren Sau zu sehen, die eine große Beule hinter dem rechten Ohr hätte. „Ja, da könne ich was machen", sagte ich und suchte ein schön scharfes Messer aus meinen Utensilien.

Die Aktion hatte sich herumgesprochen und nach dem Surfen sollte es losgehen. In dem engen Stallgang standen dicht an dicht die Gaffer, und denen wollte ich natürlich etwas bieten. Ich bat Roland, mir zu assistieren. „Was soll ich machen, sag's mir?", fragte Roland. „Du nimmst die Sau in den Schwitzkasten und hältst sie fest, bis ich geschnitten habe", antwortete ich. Das war aber gemein, ein Schwein kann man nie so halten, höchstens mal am Schwanz, aber ich stellte mir alles höchst unterhaltsam vor. Roland stürzte sich todesmutig auf das Schwein, ich schnitt blitzschnell und brachte mich vor dem rausspritzenden Eiter in Sicherheit. Das Schwein schrie auf, Roland lag im Dreck und die arme Sau rannte, weil irgendein Idiot die Stalltüre aufgemacht hatte, durch die Beine der glotzenden Meute ins Freie, über den Hof und in den angrenzenden Wald. Die Sau war weg, die Bäuerin sauer, Roland verdreckt und ich unsicher, ob ich noch auf dem Grundstück geduldet würde.

Nach einigen Tagen kam Sibylle plötzlich strahlend mit einer Pappe voller frischer Eier für mich von der Bauersfrau. Die Sau war wieder da, die Beule weg und sie futterte besser als je zuvor.

Es gäbe noch eine Menge lustiger und auch nicht so humorvoller Dinge über Roland zu berichten, aber ein Ereignis muss ich noch erwähnen, das auch so ein wenig Einblick in seine Denkweise gestattet. Viele Jahre später, die Einheit Deutschlands war schon Normalität geworden, buchten Regina und ich eine Reise in den Süden von Tansania mit vorherigem und anschließendem Aufenthalt auf Sansibar. Wir saßen im Sommer bei Beckers im Garten und grillten, dabei erzählte ich beiläufig von unseren Plänen für den kommenden Januar. Als Roland „Sansibar" hörte, was so klang wie Abenteuer und Seeräuberromantik, und da war doch auch noch was mit dem kaiserlichen Deutschland, England und Helgoland, wollte er unbedingt mitkommen. Sie buchten im gleichen Reisebüro wie wir nachträglich die gleiche Reise mit der Maßgabe, alles mit uns machen zu können.

Es kam der Tag des Reisebeginns, wir flogen erst mal für einen Tag nach Sansibar, liefen den ganzen Tag durch Stone Town mit seinen in die Jahre gekommenen Sehenswürdigkeiten und konnten unser umfangreiches Tauchgepäck, auf der Safari waren nur fünfzehn Kilo in weichen Taschen erlaubt, im Hotel lassen, da wir anschließend wieder eine Nacht dort verbringen wollten, bevor es dann zu unserem Tauchhotel gehen sollte. So starteten wir am nächsten Morgen mit einer kleinen Cesna

Richtung Selous-Gebiet und landeten nach zwei Stunden Flug auf einer Buschpiste. Zwei Landrover warteten schon auf uns, und dann geschah etwas, wovon keiner etwas gewusst hatte. Das Reisebüro hatte geschlampt und uns in verschiedenen Lodges untergebracht, die auch noch ziemlich weit auseinander gelegen waren. Auf unseren Vouchers war das nicht ersichtlich, und Roland fing an zu toben.

Wir fuhren nun erst mal zu unserem Rufiji River Camp, was so auf den ersten Blick keinen gerade einladenden Eindruck machte, aber der erste Eindruck täuscht manchmal auch gewaltig. Auf jeden Fall waren Beckers dort nicht gemeldet, und es führte auch kein Weg zu einer gütlichen Einigung. Roland wollte dem Chef des Camps in seinem holprigen und damit fast unverständlichen Englisch klarmachen, er wolle sofort einen Flieger, der ihn wieder nach Sansibar bringen solle. Der Chef guckte wie die Flusspferde im nahegelegenen Rufiji River, denn Flugzeuge kamen hier ja nun nicht täglich vorbei. Auch würde er, Roland, nur Luxus buchen, Luxus pur, was so natürlich auch überhaupt nicht stimmte, und hier gäbe es nicht mal einen Pool. Roland lehnte aber an einer halbhohen Mauer, hinter der ein kleiner, feiner Pool seine Wasser kräuseln ließ. Schließlich zückte die arme Kerstin, die nahe am Heulen war, ihre Kreditkarte und zahlte noch mal um die tausend Euro für ein Bleiberecht und in der Hoffnung, das Geld von dem Reisebüro zurückzubekommen.

Wir bezogen ein geräumiges Zelt mit kleinem Sanitärbereich im hinteren Teil und liefen etwa fünfzig Meter zum Essbereich, bekamen ein gutes Frühstück und machten uns wieder zurück auf den Weg zu unseren Zelten, um Kameras und dergleichen zu holen, denn nun sollte es zur ersten Safari gehen. Roland hatte sich noch immer nicht beruhigt, er kam nicht gleich mit uns, sondern wollte erst mal „all den Dreck filmen“, der ihn hier umgeben würde. Es war überhaupt kein Dreck zu sehen! Außer einem großen Haufen Elefantenkot vor ihrem Zelt.

Regina und ich stiefelten alleine los, kamen in die Nähe der Safarifahrzeuge und plötzlich herrschte hier allgemeine Aufregung. Die Guides hatten am frühen Morgen ein dickes Kabel über einen Weg zu einem Baum gelegt, um eine Antenne für den Internetempfang anzuschließen. Das Kabel lag noch frei auf dem Weg und sollte später vergraben werden. Aber so weit kam es nicht. Ein Elefantenbulle war auf dem Weg durchs Lager, hatte das Kabel als Spielzeug entdeckt und versuchte nun, seine Stärke daran auszuprobieren, zog es in die Höhe und machte allerlei für das Kabel lebensgefährliche Dinge. Die Guides wollten das Tier vertreiben, klopften mit Deckeln auf Kochtöpfe und schrien unverständliches Zeug. Der Bulle ließ daraufhin das Kabel fallen und nahm sich der Geschöpfe an, die sein Spiel auf unerhörte Weise beenden wollten. Kurzum, er jagte alles, was zwei Beine hatte, ob schwarz oder weiß. „In the car, in the car", riefen die Guides, auch ich brachte mich flugs in Sicherheit, vermisste aber mein kleines Frauchen. Die hatte es nicht mehr geschafft bis zum Wagen, klug entschieden, dass der Elefant mit seinen vier großen Beinen viel schneller sei als sie mit ihren zwei relativ kurzen und versteckte sich hinter einem riesigen Baobab. Alles ging gut, der Elefant trottete mit aufgestellten Ohren und wütendem Trompeten den Weg in Richtung unserer Zelte. Und da kamen gerade Kerstin und der in seiner Wut etwa mit dem Dickhäuter vergleichbare Roland angelaufen. Dem Elefanten direkt in die Arme, wenn man das so sagen darf. Der machte natürlich nicht halt, sondern freute sich, nun doch noch jemandem Angst einjagen zu können.

Die beiden rannten um ihr Leben, Kerstin brachte vor Aufregung den Reißverschluss des Zeltes nur mit Mühe auf, dann rein, Verschluss zu, erst mal in Sicherheit. Das Tier stampfte um das Zelt herum, äugte misstrauisch durch das Gazefenster und riss hinter der Dusche einige kleine Büsche aus dem Boden, bevor er es aufgab, Beckers erstes Afrikaerlebnis zum letzten werden zu lassen. Roland hatte, diese Cleverness muss man ihm lassen, alles so gut es ging durch die Gazefenster gefilmt, dabei natürlich auch gezittert und beim Sprechen ganz schön gehechelt, aber trotz nicht berauschender Qualität seiner Filme die Situation gut konserviert.

Der Elefant war weg, alles war gut gegangen und Roland war glücklich, endlich hatte er ein Erlebnis, das am Stammtisch in Leipzig wunderbar erzählt werden konnte. Nun war auch alles andere in Ordnung, der Urlaub war gerettet, auch für uns.

Der Herbst 1986 war ausgesprochen schön, Ende September verlockten sommerliche Temperaturen noch zum Sonnenbaden. Nicht so schön war, dass die Tollwut bei Wild- und Haustieren von weiten Teilen Deutschlands Besitz ergriffen hatte. Überall sah man die Warnschilder: Tollwut-Sperrbezirk.

Bei uns war es noch ruhig. Trügerische Ruhe. Eines Tages rief ein Schafbesitzer aus Oberarnsdorf, einem anderen Praxisgebiet, an, sein Tier würde ein eigenartiges Verhalten an den Tag legen, versuchen, die Leute zu beißen, nicht fressen und mit den Hörnern immer wieder gegen die Stallwände donnern, ich solle doch mal vorbeikommen. Natürlich war es wieder einmal Wochenende, und ich hatte Dienst. Nichts Gutes vermutend, nahm ich meinen noch aus Maul-und Klauenseuchenzeiten stammenden Gummianzug mit, packte ein Mittel zur Euthanasie ein und fuhr los.

Dort angekommen bot sich mir ein etwas groteskes Bild. Der große Schafbock war in einen fast kreisrunden großen Pferch gesperrt, etwa zwei Meter hohe Holzpfähle machten ein Entkommen unmöglich. Und ich sollte nun zu dem Tier reingehen. Ich zog also besagten Gummianzug an, füllte dreißig Milliliter von dem tödlichen Mittel in meine Revolverspritze, nahm einen Besen in die linke Hand und näherte mich dem böse blickenden Tier. Etwa fünf Leute schauten begeistert von außen zu und fühlten sich bestimmt wie bei einem spanischen Stierkampf. Das Schaf blickte nur kurz in meine Richtung, nahm Anlauf und sprang in etwa Brusthöhe auf mich zu. Ich fiel rückwärts zu Boden, konnte aber im Fallen dem Bock mit dem Besen einen Stoß versetzen, der ihn ebenfalls zu Boden warf. Dort lag er einen Moment und zappelte mit den Beinen. Sein vom Tollwutvirus angegriffenes Gehirn versagte seine Dienste und gab nicht mehr die richtigen Befehle. Blitzschnell war ich hingegen auf den Beinen und feuerte ihm meine dreißig Milliliter Gift zwischen die Rippen.

Dann ging alles ganz schnell. Das Schaf war tot, ich unverletzt. Die Untersuchung des Gehirns im Institut in Leipzig ergab die klare Diagnose „Tollwut". Alle Personen, die direkten Kontakt mit dem Tier hatten, wurden zur Impfprozedur nach Leipzig ins Krankenhaus gebracht, ich nicht. Aber das sollte später noch kommen.

Meine Nachbarkollegin war per Telefon nicht zu erreichen, also musste ich zu einem kranken Schaf nach Garbisdorf fahren. Alles sah ganz harmlos aus, die Kollegin hatte das Tier schon behandelt, auch ich konnte nur eine Verdauungsstörung feststellen und gab dem Tier eine Spritze und ein Medikament direkt ins Maul. Dabei kam ich natürlich mit dessen Speichel in Kontakt. Nach zwei Tagen verstarb das Tier, und die Kollegin ließ es im Garten der Besitzer vergraben, hatte aber nach weiteren zwei Tagen Gewissensbisse, ließ es wieder ausbuddeln, schnitt den Kopf ab und brachte den zur Untersuchung. „Tollwut."

Wir beide mussten ins St. Georg nach Leipzig. Dort begann eine Behandlung, die längere Zeit dauern sollte. Nun gab es zwei Möglichkeiten, homologes Serum verabreicht zu bekommen, was eine verkürzte und nebenwirkungsarme Behandlung bedeutete, oder heterologes, von Tieren stammendes Serum mit all seinen Gefahren wie Schock oder Unverträglichkeit und einer viel längeren Behandlungsdauer. Zu dieser Zeit kamen manchmal ganze Busladungen mit Kindern zur Behandlung, und bei Kindern nahm man natürlich das bessere, aber schwer zu beschaffende Serum. Ich kannte den behandelnden Arzt recht gut, und der machte es auch möglich, dass ich die bessere Variante erhielt. Meine Kollegin war erst mal am Boden zerstört, als sie hörte, ich würde schon nach einigen Tagen wieder entlassen, während bei ihr die Behandlung noch zwei Wochen länger dauern sollte mit insgesamt siebzehn Injektionen zu 4,5 ml. Also legte ich für sie ein gutes Wort ein und sie konnte nun auch wie ich von der angenehmeren Behandlung profitieren.

Die Injektionen erfolgten im Uhrzeigersinn rund um den Bauchnabel, mancher Erwachsene benahm sich dabei wie ein Angsthase und schilderte dies allen als etwas absolut Fürchterliches. Beobachtete man dagegen die Kinder, oft im Vorschulalter, wie sie lachend dem Arzt ihren Bauch entgegenstreckten, so konnte man nur den Kopf schütteln über die Ängstlichkeit vieler Großer.

Unser Aufenthalt dort ging vorüber, wir mussten dann noch nach Monaten weitere Spritzen als Vakzine bekommen, aber ich machte das dann selbst und kutschte nicht jedes Mal nach Leipzig. Alkohol sollte nach Möglichkeit bis sechs Monate nach Abschluss der letzten Impfung nicht getrunken werden, was manch einem recht schwer fiel. Der Gärtner in unserer LPG musste später auch zur Impfung und erzählte am Stammtisch von seiner Pein, nun für ein halbes Jahr keinen Alkohol trinken zu dürfen. Die Saufkumpane machten sich einen Witz und redeten ihm ein, er hätte wohl nicht alles verstanden bei der letzten Arztvisite, er dürfe doch auch keinen Verkehr mit seiner Frau oder anderen ausüben. Da ging ein großes Wehklagen bei dem Veralberten los, ob er dies eingehalten hat oder nicht, ist nicht genau überliefert.

Nach dem Tod meines Vaters war Mutti in den Westen gezogen. Meine Schwester Maria hatte ihr eine kleine süße Eigentumswohnung in Bergisch-Gladbach gekauft und sie fühlte sich pudelwohl in der neuen Umgebung, zumal Maria mit ihrer Familie in unmittelbarer Nähe wohnte. Es war erstaunlich, wie sich diese Frau in kürzester Zeit veränderte. Sie war nicht mehr die graue Maus aus Stötteritz, die gebückt im dunklen Mantel über die Straße huschte, nein, sie kleidete sich modern, nahm aktiv am Leben teil, reiste mit anderen Senioren nach Portugal, Spanien und an sehenswerte Orte in Deutschland. Und für unsere Wünsche hatte sie immer ein offenes Ohr. So kamen neben den Fresspaketen auch mal ein Paar neue Ski für Bert, Surfanzüge für Regina und mich und bei den Besuchen bei uns interessante Berichte von ihren Reisen und Erlebnissen.

Von Mutti bekamen wir für unseren Wohnwagen eine Campingtoilette, ein Porta Potti. Wir hatten aus Polen schon einen Campingkühlschrank mitgebracht, einen kleinen Schrank ausgebaut und den Kühlschrank passgenau dort einbauen können. Der lief mit 12 Volt, 220 Volt und Propangas. Beim Gas war der Zündvorgang zwar immer etwas mit Problemen behaftet, es roch dann auch nach Gas, aber in die Luft geflogen sind wir nicht, und mit Propan kühlte er immer am besten. Nun kam die nächste Stufe vom Luxus, die Toilette. Die konnten wir nicht einbauen, dafür war kein Platz vorhanden, aber im Vorzelt wurde eine Ecke mit Zeltbahn abgeteilt und man hatte seine Ruhe.

Es stand wieder einmal eine Reise nach Bulgarien an. Das Geldtauschen konnte einem schon die ganze Reise vermiesen, denn es gab nur einen bestimmten Satz an Kronen für die CSSR,

Forint für Ungarn und Lei für Rumänien. Damit waren die Kosten für den Transit nicht zu bezahlen, denn wir durften nur für insgesamt dreißig Tage Geld tauschen. Die Schaltertussi in der Staatsbank sagte dann auch schon mal bissig: „Wieso haben Sie denn so viel Urlaub, da Sie für fünfzig Tage Geld haben wollen." Ich war jedes Mal nahe dran, der Dame alles hinzuschmeißen.

Für die Fahrt durch die CSSR, für die wir einen Tag brauchten, waren aber infolge enorm hoher Spritkosten die ganzen Kronen aufgebraucht. Unser Auto fraß vierzehn Liter Super. Das war natürlich dem Umstand geschuldet, dass einmal der zwar kleine, aber dafür sauschwere Friedel an der Kupplung hing, drei Surfbretter auf dem Dach mit Masten und Gabelbäumen festgezurrt waren, zwei Zwölfliterflaschen voll mit Propangas im Gepäckraum lagen und ich noch einen Zusatztank für vierzig Liter Sprit eingebaut hatte. Das Auto hatte sechzig PS, war völlig überladen, aber hielt brav durch bis nach Vesely am Schwarzen Meer. Nur die Berge, die wir notgedrungen überqueren mussten, waren eine Herausforderung. Meist ging das nur im ersten Gang, die Heizung und das Gebläse auf volle Pulle gestellt, um dem Motor etwas Abkühlung zu verschaffen. Was war das dann später mit dem Niva, fünfundsiebzig PS, Getriebeuntersetzung, die Steigungen der Gebirge erschienen geradezu lächerlich.

Aber erst mal ging es mit „Kermit", dem grünen Lada-Kombi, dorthin. Ich will nun nicht einen Reisebericht über Bulgarien schreiben, sondern unsere Erlebnisse mit dem Porta Potti. Ich hatte es also im Vorzelt aufgestellt, das Spülwasser eingefüllt, denn es hatte ja sogar Wasserspülung, in den Fäkalienbehälter die blaue Spezialflüssigkeit gegeben, die alle festen Bestandteile organischen Ursprungs zersetzen sollte, und wir freuten uns, nun nicht mehr auf die Klos gehen zu müssen, die nur aus einem Loch im Boden und zwei Tritten für die Füße bestanden und mit der Zeit in einem erbärmlichen Zustand waren.

Nach etwa einer einwöchigen Benutzung unserer Toilette machte ich mich, nachdem ich den Fäkalienbehälter von dem übrigen Teil getrennt hatte, auf den Weg zum offiziellen Klo, um ihn zu entleeren. Ich war noch ein bissel verunsichert und verrichtete diese Arbeit deshalb ganz zeitig frühmorgens, kein

Mensch war auf den Beinen und konnte mich beobachten. Im Klokomplex waren auch einige Pinkelbecken an der Wand. In der Annahme, dass der Inhalt meines Behälters doch nur noch aus Flüssigkeit bestand, wollte ich alles auch gleich in so ein Becken schütten. Der Auslaufstutzen wurde ausgefahren, die Taste zur Beseitigung des Unterdrucks betätigt, und schon lief die Brühe heraus. Aber nicht nur Flüssiges, nein, es kamen auch sämtliche sich in einer Woche angesammelten geformten Widerlichkeiten angeschossen. Das Pinkelbecken war verstopft und voll, ich war einem Herzinfarkt sehr nahe und verließ fluchtartig die Lokalität. Im Wohnwagen musste ich erst mal einen kräftigen Schluck Schnaps nehmen, ehe ich so langsam wieder zur Besinnung kam.

Spät am Vormittag wagte ich einen Besuch an der Stätte meiner Untat. Der alte Klomann stand fluchend an dem Becken und rührte mit einem Stock in dem Ganzen, um es zum Abfließen zu bewegen. Ich tat auch entrüstet über das Verhalten der Touristen, verließ dann aber eilig diesen Ort. Später habe ich unser Potti immer sachgerecht entsorgt, aber aus Fehlern kann man ja nur lernen.

Rentner durften schon eine Weile ohne besondere Probleme zu Verwandtenbesuchen in den Westen reisen, und etwa Mitte der Achtzigerjahre war dies in speziellen Fällen auch für Leute, die noch im Berufsleben standen, möglich. Mutti wurde fünfundsiebzig, und ich unternahm einen Versuch, nach drüben zu fahren. Der Antrag wurde erst mal angenommen. Ich hatte die Absicht, mit dem Auto zu reisen, was aber auf vollständige Ablehnung bei der Behörde stieß. Zufällig erzählte ich dies einer befreundeten Ärztin und diese meinte, sie gehe jeden Dienstag mit der verantwortlichen Dame von der Polizeidienststelle in die Sauna und sie würde dort mal anhorchen, wie so was zu bewerkstelligen sei. Sie erzählte der Genossin natürlich nichts von mir, sondern fragte nur so ganz allgemein. Die Antwort war, ich müsste von meinem Arzt ein Schriftstück vorlegen, auf dem der Satz stand: „Der Patient ist auf die Benutzung eines PKW angewiesen." Nichts mit „nur ein Bein" oder „halber Kopf fehlt". Nur der eine Satz sollte alles regeln.

Natürlich musste dies auf einem ärztlichen Attest stehen, aber das machte keine Probleme, die besagte Ärztin stellte mir ein solches aus, und nun lief alles wie am Schnürchen. Ich sollte noch meinen Wehrdienstausweis abgeben, aber den hatte ich doch in einem Anfall geistiger Verwirrung vor längerer Zeit verbrannt. Ich sagte, ich hätte keinen solchen Ausweis, da ich wehruntauglich geschrieben sei, aber die Antwort war, jeder hätte einen solchen Ausweis, ich solle vor der Tür warten. Drinnen wurde eifrig telefoniert, sicher mit dem Wehrkreiskommando, und ich sah schon alle Felle davonschwimmen.

Nach einer gefühlten Ewigkeit wurde ich wieder ins Zimmer gerufen und bekam ohne weitere Erläuterungen meinen Reisepass mit dem Vermerk der PKW-Benutzung. Wir hatten aber kurzfristig unseren Lada ans staatliche Veterinärwesen verkauft, um ihn als meinen Dienstwagen zu nutzen, da war eine Westreise mit diesem Auto nicht drin. Regina fuhr einen relativ alten Trabi, mit dem ich keine Lust hatte, gen Westen zu kutschen. Bei der Polizei zeigte man kein Verständnis für meinen Wunsch, nun doch lieber mit dem Zug fahren zu wollen. Einmal genehmigt war endgültig genehmigt. So ließ ich in aller Eile noch einen neuen Motor in den Trabi einbauen, was natürlich nur über Freunde möglich war, die wiederum einen guten Freund in der entsprechenden Werkstatt hatten, der dies für ein ordentliches Trinkgeld schließlich erledigte.

Nun konnte es losgehen, die Zeiten waren genau vorgeschrieben, ab null Uhr zu dem Termin konnte die Grenze überschritten werden. Ich packte zwei Zwanzig-Liter-Kanister voller Benzin-Öl-Gemisch hinter die Sitzbank, Geschenke in den Kofferraum und tuckerte spät abends los Richtung Grenze Eisenach. Unterwegs wollte ich dann noch nachtanken, denn gerade mal zwanzig Liter gingen in den kleinen Tank des Trabants.

In dieser Nacht herrschte ein geradezu ungewöhnlich dicker Nebel und ich fand die letzte Tanke vor der Grenze nicht, hatte also zu wenig Benzin im Auto, aber zu viel Geld in der Tasche. Ich weiß nicht mehr genau, wie viel DDR-Mark man ausführen durfte, aber bei mir waren es nun mehr als erlaubt.

An der Autobahnabfahrt Eisenach Ost stand ein Schild: „Letzte Ausfahrt für Bürger der Deutschen Demokratischen Republik". Ich fuhr natürlich weiter. Und dann sprangen plötzlich zwei Grenzer mit der Waffe im Anschlag auf die Fahrbahn und stoppten meinen weißen Plastikbomber mit dem DDR-Schild am Heck. Ich zückte locker meine Papiere und konnte hinter der Stirn des Einen lesen: „Jetzt fahren die schon mit dem Trabi gen Westen, wohin soll dies alles noch führen." Mich führte es erst mal in den riesigen Bereich des Grenzübergangs zur intensiven Kontrolle. Der Benzinvorrat wurde mit Stirnrunzeln betrachtet, aber nicht beanstandet. Mein zu viel an Geld brachte den Kontrolleur allerdings in Rage. Mich aber auch, und ich bot ihm an, das Geld zu behalten, was wiederum eine wütende Gegenreaktion hervorrief. Als er dann noch meinen geliebten Dienstausweis erblickte und sagte, man müsse bei solchen Reisen doch diese Ausweise immer abgeben, ich aber meinte, bei mir sei das anders, ließ er mich weiterfahren über die lange Brücke, die damals Ost und West verband.

Am Ende dieser Brücke stand ein im Vergleich zur DDR-Kontrollstelle bescheidenes Holzhäuschen, davor ein Beamter, in meiner verklärten Erinnerung hatte er die Beine auf einem Hocker liegen, begrüßte mich freundlich und meinte, er hätte früher auch mal einen Zweitakter, einen DKW, gefahren, ich solle mich nicht ärgern, auch wenn ich hier in der Bundesrepublik auf der Autobahn sicher immer der Langsamste wäre.

Ich war im Westen, keine verkniffenen Beamtengesichter mehr, überall Sauberkeit, helle Farben und neue Eindrücke. Zum Frühstück kam ich gerade richtig in Bensberg an. Großes Hallo, erst mal ein Glas Sekt, dann die Freude über das unerwartete Wiedersehen. Vierzehn Tage hatte ich nun Gelegenheit, die zahllosen Kaufhäuser und Geschäfte in der Innenstadt von Köln zu durchwandern. Ich machte es gern und konnte das eine oder andere Schnäppchen für Bert und Regina erstehen.

Teddy, mein Schwager, hatte die Idee, mit mir eine Kurzreise nach Paris zu unternehmen. Ich tauschte meinen DDR-Reisepass problemlos bei der zuständigen Behörde in einen Pass für BRD-Bürger um.Nach der Rückkehr aus Paris erhielt ich natürlich meinen DDR-Pass zurück. Die notwendigen Fotos machte an jeder Straßenecke ein Automat, und wir buchten über ein Reisebüro eine viertägige Fahrt nach Paris. Diese Stadt erschlug mich förmlich. Diese Ansammlung von Historie und Kunst war in den wenigen Tagen kaum zu bewältigen.

Teddy war ein ausgesprochen kluger, geschichtsbegeisterter Mensch. Alles hatte er im Kopf, und so ging es von einer Sehenswürdigkeit zur anderen, zu Fuß und mit der Metro, vom Invalidendom nach Versailles, von Sacre Coeur zum Louvre, die Champs-Élysées hinauf und auf der anderen Seite wieder hinunter. Ich war völlig fertig. Und ich wartete sehnsüchtig auf Teddys erlösende Worte: „Wollen wir mal einen Kaffee trinken?" Ich tat so, als ob ich noch meilenweit weiter wandern wollte, im Inneren war ich jedoch dankbar über sein Angebot. Endlich mal sitzen in einem netten Pariser Café und die Beine ausstrecken können, herrlich.

Ich war gerade mal Mitte vierzig, sportgestählt, kein Fett, kein Bäuchlein. Teddy hatte über zwanzig Lenze mehr auf dem Buckel, hasste jegliche sportliche Betätigung, aber konnte tagelang übers Pflaster laufen und Kirchen und Museen besichtigen, als ob es ein halbstündiger Sonntagsspaziergang wäre. Ich konnte es nicht fassen. Aber es wurden tolle Tage, an die ich mich nach all den Jahren voller Dankbarkeit erinnere.

Es war der erste April 1986. Regina war mit Bert für drei Tage nach Jeßnitz zu ihren Eltern gefahren, ich hatte gerade meine Bratkartoffeln verspeist, die ich mir immer machte, wenn ich mal alleine war, mit vielen Eiern, Wurst, Schinken und Unmengen an Zwiebeln, einfach köstlich. Da klingelte das Telefon, irgendwie klang es recht tückisch. Eine Männerstimme gab sich als Mitarbeiter des Innenministeriums aus, und sie wollten mich am kommenden Tag besuchen, da irgendwas zu klären wäre. Dumpfe Vorahnungen beschlichen mich, aber so richtig konnte ich mir keinen Reim auf das Ganze machen.

Um vierzehn Uhr klingelte es am nächsten Tag an der Tür. Zwei gut gekleidete, relativ junge Männer standen vor mir, zeigten ihre Ausweise und witzelten, sie hätten sich gestern nicht mit Ministerium für Staatssicherheit vorgestellt, damit ich nicht schon vorher Angst bekommen sollte. Auch hätten sie von der Dienststelle in Altenburg einen Trabant geliehen, denn ein Citroën mit Berliner Nummer hätte vor unserer Tür und in unserem Dorf doch zu viel Aufsehen erregt. Mir ging der Arsch auf Grundeis. Über zwei Stunden befragten sie mich über seuchenhygienische Absicherung der von mir betreuten Anlagen, um dann mit dem eigentlichen Anliegen rauszurücken, ich sollte für sie arbeiten, Berichte schreiben, Personen benennen und so ähnliches mehr. Höflich waren sie ja, und sie verabschiedeten sich mit der Auflage, in vier Wochen den ersten Bericht zu erhalten. Unterschrieben hatte ich nichts, zum Glück.

Als Regina wieder da war, irgendwoher mussten die gewusst haben, dass sie für einige Tage abwesend war, erzählte ich alles und wir hielten Kriegsrat. Bert war kurz vor seiner Abi-Prüfung, das erschwerte natürlich unsere Entscheidung. Aber meine liebe Frau meinte ohne langes Abwägen, ich solle da auf keinen Fall mitmachen, zur Not würden wir einen Ausreiseantrag stellen und alle Konsequenzen tragen.

Und so vergingen vier Wochen, dann kam der Anruf aus Berlin, sie wollten den ersten Bericht abholen, worauf ich antwortete, es gäbe keinen Bericht, auch in Zukunft keinen, und wenn sie was wissen wollten, dann sollten sie doch bei meinem Kreistierarzt nachfragen, dort würden alle Tierärzte monatlich einen Bericht über die Tierverluste abgeben. Aus. Es kam nie wieder was von diesen Kerlen. Interessant wurde es aber nach der Wende, als ich meine Stasiakte in die Finger bekam.

1986 war das Jahr der Abiturprüfungen für Bert. In Altenburg hatte er die Zeit der Oberschule verbracht, war jeden Tag mit dem Moped oder auch manchmal mit mir dorthin gefahren. Das Ergebnis seiner Examination ließ sich sehen, der Durchschnitt von eins Komma null treibt mir angesichts meiner bescheidenen Noten noch heute die Schamröte ins Gesicht. Aber stolz konnten wir schon sein.

Er wollte nun plötzlich auch Tierarzt werden. Ob ihn trotz der doch recht schweren Arbeit in der Großtierpraxis die Möglichkeiten, sich gewisse Freiräume zu schaffen, gereizt hatten, weiß ich nicht. Erst mal galt es, sich der allgemeinen Wehrpflicht zu unterziehen. Die tollen Noten seiner Prüfung waren das Eine, die Beurteilung und Befürwortung zum Studium oblagen seiner Direktorin und die gab eine solche nur, wenn sich der Kandidat für drei Jahre bei der Armee verpflichtete.

Manch einer meiner Bekannten hatte zu irgendjemandem in der Hierarchie einen guten Draht und konnte die Zeit auf das normale Maß von anderthalb Jahren drücken oder seinen Sprössling ganz für wehruntauglich erklären lassen, aber da fehlten uns die Verbindungen. Ich habe manchmal gedacht, für alles, wovor ich mich erfolgreich drücken konnte, musste nun mein Sohn büßen. Drei lange Jahre beim verhassten Militär.

Ich machte einen Termin beim hiesigen Wehrkreiskommando und versuchte mit Engelszungen die Verantwortlichen davon zu überzeugen, dass mein Sohn in Anbetracht seiner Studienrichtung doch beim medizinischen Dienst am besten aufgehoben wäre. Und wenn das überhaupt nicht möglich wäre, dann bitte nicht zu den Panzern.

Vierzehn Tage später war Bert bei den Panzern. Aber erst mal war da die feierliche Fahneneidzeremonie. Ich konnte nicht verstehen, wie glücklich und stolz manche Eltern aussahen. Ich fluchte dauernd und die Tränen rannen mir unablässig über das Gesicht. Regina ermahnte mich, vorsichtig zu sein mit meinen Worten, da überall unauffällig auffällig aussehende Männer herumstanden, die sicher jede Störung des Aktes verhindern sollten. Da stand er nun, mit Stahlhelm und Armeekluft, drei Jahren seines Lebens beraubt.

Seine Ausbildungszeit in Schneeberg ermöglichte es uns aufgrund der Entfernung von knapp siebzig Kilometern, so oft wie möglich dorthin zu fahren und ihn für ein paar Stunden nach Hause zu holen. Er wurde Panzerfahrer und später in der Lausitz, weit weg von zu Hause, Ausbilder für Offiziersschüler. Gottseidank gehörten zu seiner Ausbildertruppe noch drei oder vier Abiturienten, mit denen er die Zeit einigermaßen erträglich gestalten konnte.

Es war mal wieder so weit. Meine Schwester Maria wurde im Juli fünfzig, und vorher hatten sie und ihr Mann Teddy silberne Hochzeit. Ich fragte bei der für Reisen ins nichtsozialistische Ausland zuständigen Stelle nach, ob es denn möglich wäre, dass meine

Frau einmal statt meiner nach drüben fahren könnte, wir, Bert bei der Armee und ich, würden doch als Sicherheit hierbleiben. Kurze Antwort: „Nein, Ihre Frau ist nicht antragsberechtigt." Nach weiterer kurzer Pause: „Aber warum wollen Sie denn nicht mal zusammen fahren?" Mir fiel der Unterkiefer herunter, so perplex war ich ob dieser Antwort. Ja, natürlich wollten wir dies, etwas Schöneres hatten wir uns überhaupt nicht vorstellen können.

Zu dieser Zeit war unser Auto ein Lada „Niva", hundeteuer in der Anschaffung, allradgetrieben, fünfundsiebzig PS stark, aus heutiger Sicht lächerlich, für uns damals eine tolle Leistung. Ab neunzig Stundenkilometern machten die Antriebe, Kardanwellen, Getriebe und was es sonst noch so gibt einen solchen Krach, dass man sein eigenes Wort im Inneren kaum verstehen konnte. Aber wir liebten den Wagen. Er bekam auch wie jedes unserer Autos einen Namen, er wurde „Wutz" getauft.

Die Prozedur zum Erlangen der Genehmigung, mit dem Auto gen Westen zu fahren, war noch die gleiche. Als Grenzübergang gaben wir einen im Norden an, da wir erst zur Nichte Kerstin und ihrem Mann Thieß-Thießen auf deren Bauernhof an der Nordsee fahren wollten. Der Niva hatte einen sehr kleinen Kofferraum, und so wurde er mit einem großen Dachkoffer ausgestattet, den wir sonst für Ski- oder Surfutensilien nutzten. In diesem Dachkoffer verstaute ich auch mein altes Gipsbett, das seit den Sechzigerjahren nur noch bei uns herumlag. An der Grenze kontrollierte der DDR-Zoll wie gehabt, also jede Kleinigkeit. Aber als Erstes fiel der Blick der Zöllnerin auf den Dachkoffer. Um den zu öffnen, musste ich mich auf den Türschweller stellen, sonst kam man nicht an dessen Schlösser heran, denn der Niva war als Geländewagen doch um einiges höher als ein normales Auto. Ich fummelte den Deckel etwas auf und die Dame fragte nach dem Inhalt.

„Da ist mein Gipsbett drin, so muss ich immer schlafen, seit ich als ehemaliger Spitzensportler im Judo eine Rückenverletzung erlitten habe."

„Bitte lassen Sie alles, wie es ist, heben Sie das Ding ja nicht heraus, die Kontrolle beende ich hiermit. Und eine gute Weiterfahrt."

Wir lachten innerlich, aber waren recht froh, ohne schikanöse Untersuchungen die Grenze passieren zu können. Dass mit dem Spitzensportler war natürlich gelogen, und das Gipsbett habe ich viel später mal in einen Müllcontainer geschmissen, aber da waren wir dann schon „Westen".

Es wurde eine traumhafte Reise, erst für einige Tage an der Nordsee, die Kühe von Thieß in einem Stall, der nicht mit denen bei uns zu vergleichen war, der Ausflug nach Hamburg auf die Reeperbahn, dann nach Bensberg ins Häuschen von Teddy und Maria, die kleine aber feine Wohnung unserer, meiner, Mutti. Sie war nach der Übersiedlung in die Bundesrepublik geradezu aufgeblüht, voller Tatendrang.

Und dann die Kurzreise nach London, all die dortigen Sehenswürdigkeiten, Teddy konnte als der perfekte Reiseführer unseren Wissensdurst aufs Beste befriedigen. Etwas außerhalb der Londoner City wohnten wir in einem Privatquartier bei einer älteren Dame, die sehr darauf achtete, dass keine nassen Sachen über die Stuhllehnen gelegt wurden, und wenn doch, hatte sie zur Vermeidung von Wasserflecken die Lehnen mit Folie umwickelt. Mit anderen Worten, sie war ausgesprochen pingelig. Wir waren nicht die einzigen Gäste, in einem Nebenzimmer wohnte noch ein einzelner Mann. Das Bad und die Toilette teilten wir uns mit ihm.

Nach einem langen Tag, an dem wir auch Schloss Windsor besucht hatten und abends entsprechend müde in einem Pub eine Kleinigkeit gegessen und einige Gläser englisches dunkles Bier getrunken hatten, suchten wir unsere Unterkunft auf und fielen mit schweren Gliedern in die Betten. Ich schlief auch sofort ein. Und dann hatte ich einen sonderbaren Traum. Wir waren mit Andrea und Micha auf der Fahrt nach Bulgarien, als ich unterwegs das Bedürfnis verspürte, meine übervolle Blase zu entleeren. Ich stieg aus dem Auto und ging zum nahen Straßengraben, wusste aber nicht, was ich machen sollte. Da sah ich eine der herrlichen südeuropäischen Eidechsen, eine grasgrüne Smaragdeidechse, die wie ein männlicher Hund ihr Hinterbein hob und in hohem Bogen pinkelte. Andrea meinte, dies sei normal und ich solle es auch so machen. Ich tat es.

Und dann wachte ich auf. Es war ein Gefühl, als hätte mich jemand mit dem Hammer erschlagen. Bis zum Kragen hin waren ich und der Schlafanzug eine einzige nasse Pampe. Und das Bett! Regina wachte auf und sah die Bescherung. Wir zogen das Bett ab, ich wechselte die Sachen, und dann wollten wir im Bad alles trocknen, aber da kam der fremde Nachbar hinzu. Das gesamte nasse Zeug legten wir nun über Stuhllehnen in unserem Zimmer, die waren ja mit Plastikfolie geschützt. Die Matratze drehten wir auf die trockene Seite und sehnten den nächsten Tag, unseren Abreisetag, herbei.

Teddy kam morgens in unser Zimmer, um uns zu wecken und schnupperte in der Luft herum. Er meinte, es rieche so nach Räucherkerzen, das sei aber komisch. Vielleicht hätte ich den Grundstoff für Räucherkerzen liefern können. Ich habe mich nicht offenbart, aber die Wirtin schaute recht komisch, als sie beim Abschied unser Zimmer inspizierte. Die nasse Matratzenseite hatte sie aber noch nicht entdeckt. Ich habe noch längere Zeit Angst gehabt, mir würde so was nun öfter passieren. Doch es blieb bei diesem einen Mal, bis heute.

Wir fuhren danach noch für einige Tage nach Garmisch zu unseren Freunden Marianne und Willi. Die beiden hatten wir bei der Surfweltmeisterschaft am Balaton 1980 kennengelernt und seitdem immer Kontakt gehalten. In Garmisch sollten auch Babsi und Günther, ein Ehepaar aus Berlin, das zu unseren Surffreunden gehört hatte und auf abenteuerliche Weise aus der DDR geflüchtet war, ihren Goldschmiedeladen betreiben. So hatten wir es vor unserer Reise über Freunde erfahren, wussten aber nicht, ob das stimmte.

Willi schaute im Telefonbuch nach, und wahrlich, es gab den Juwelier Glaubitz. Wir gingen also zu besagtem Laden, betraten ihn, Babsi schaute gar nicht richtig auf die Besucher und fragte nach unseren Wünschen. „Die teuerste Rolex für meine Frau und für mich natürlich auch eine", sagte ich. Meinen sächsischen Slang konnte ich nicht völlig unterdrücken, Babsi blickte auf und brach in laute Freudenrufe aus. „Günther, komm mal schnell und sieh, wer da ist!" Großes Hallo und aufrichtige Freude bei uns und bei den beiden Freunden.

Für den kommenden Tag verabredeten wir uns zu einem Ausflug zum Walchensee, beim Ausblick vom Herzogstand auf die Landschaft purzelten bei mir die Tränen. Ich glaubte damals nicht daran, jemals wieder hier sein zu können. Von Willi, der ein guter Skifahrer war und unsere Passion kannte, bekamen wir je ein Paar Ski, Regina einen K2, ich einen Atomic.

Auf dem Weg wieder zurück nach Bensberg machten wir noch einen Stopp bei Martin Pufe, der es zum Kreisveterinär gebracht hatte und in einem wunderschönen Haus in Weikersheim wohnte. Auch dort wieder ein herzliches Willkommen und zwei schöne Tage.

Als Martin sagte, wir sollten doch dableiben, ab Montag hätte ich Arbeit, gab es für mich kein langes Überlegen. Bert war in der DDR und hätte alles ausbaden müssen, was wir getan hätten. Mein Nein war endgültig. Wir hatten jeden Stein beim Bau unseres Hauses in der Hand gehabt, uns mit viel Mühen etwas aufgebaut und dann die moralische Verpflichtung unserem Sohn gegenüber, es gab nur diesen einen Weg. Wir alle drei, das wäre eine ganz andere Konstellation gewesen, aber für unser eventuell besseres Leben die Zukunft von Bert aufs Spiel zu setzen, kam nie infrage.

Die restlichen Tage in Bensberg gingen dann viel zu schnell vorüber, und wir mussten schweren Herzens die Heimreise antreten. Sonntags kamen wir in Niederhain an, und wir hätten uns sofort am Montag wieder bei der Polizei melden müssen, um den Reisepass gegen unseren Personalausweis einzutauschen.

Was an dem Montag los war, ich kann es heute nicht mehr sagen, jedenfalls sind wir erst am Dienstag zu dieser Behörde gegangen. Derweil hatten die schon meinen Kreistierarzt verständigt, der war dann in der Schweineanlage aufgekreuzt und hatte sich nach mir erkundigt, alles sah für die Staatsmacht nach Republikflucht aus. Uns wurde dann auch unmissverständlich klargemacht, dass solch ein Verhalten in Zukunft Einfluss auf die Entscheidung, ob wir oder einer von uns jemals wieder in das kapitalistische Ausland fahren dürften, haben würde.

Dann kam das Jahr 1989. Irgendeine Veränderung der politischen Lage war bis zu den Ereignissen im Herbst nicht vorhersehbar. Ich war Mitglied des Gemeinderates, es gab mal wieder eine Sitzung mit dem üblichen Gequatsche über Erfolge des Sozialismus und dergleichen. Da ich es immer kaum ertragen konnte, so etwas zu hören, hatte ich mit dem Kneiper, der auch Lothar hieß, eine Vereinbarung. Wenn ich eine Limonade bestellte, sollte er immer einen doppelten Wodka reinschütten, das konnte keiner sehen und ich konnte den Schwachsinn der Genossen besser ertragen.

Vor dieser Sitzung hatte sich aber etwas zugetragen, was meinen Hals anschwellen ließ und ich meldete mich zu Wort, nach dem der Stellvertreter des Rates des Kreises seine Lobeshymnen beendet hatte. Ich sagte:

„Es ist fünf vor zwölf in unserer Wirtschaft (dabei war es schon fünf nach!), der Chef der Schweineanlage brauchte für eine Reparatur an den Kastenständen der Sauen etwa dreißig Stück einer bestimmtem Schraubenart, die es nur bei einem Ausrüster für Landtechnik gibt, etwa fünfzig Kilometer von hier entfernt. Er rief dort an und man sagte ihm, es seien nur noch vierzehn Stück am Lager, ob er sie haben wolle. Natürlich kutschte er dorthin, bekam aber, weil sich der Lagerverwalter getäuscht hatte, nur drei der benötigten Schrauben, nahm sie zähneknirschend und fuhr damit nach Hause. Ich hätte die Dinger wutentbrannt aus dem Autofenster in den Straßengraben geschmissen. So kann es doch mit uns nicht weitergehen.“

Die Reaktion war frappierend, erst mal sagte keiner etwas, Grabesstille. Dann stand der Chef der Landwirtschaft des Kreises auf und versuchte, mich zur Schnecke zu machen. Von einem Leitungskader, als so was bezeichnete man uns Tierärzte, hätte er was anderes erwartet. Und so ging es noch eine Weile fort.

Ich hatte schnell mein Glas Limo getrunken und Lothar brachte eilig ein weiteres. Der Wodka machte mich ganz friedlich, auch ein wenig schläfrig, und so war mir erst mal alles egal, was so über meinen Kopf ausgeschüttet wurde. Aber so viel bekam ich noch mit: Keiner der übrigen Anwesenden stand mir bei, das passierte erst 1990, als die DDR in Trümmern lag.

Gravierende negative Folgen habe ich dann nicht zu spüren bekommen, vielleicht habe ich manchem doch aus dem Herzen gesprochen, damals traute sich noch keiner, die Wahrheit auszusprechen.

Der Sommer verging, Bert war gesund und munter von der Armee zurück und konnte im Herbst sein Studium beginnen. Und dann ging es los, der Herbst der großen Veränderungen hatte begonnen.

Ich will hier nicht auch noch von unserer Teilnahme an den Montagsdemos erzählen, das ist schon so oft geschehen, da gibt es kaum Neues zu berichten. Vielleicht nur, dass ein Professor von Bert die versammelte Studentenschaft gewarnt hatte, sich an den Demos zu beteiligen, es müsste mit harten Konsequenzen gerechnet werden. Sechs Monate später meinte er, es sei nur aus Sorge um seine Studenten gewesen, da bei den Demos ja allerhand hätte passieren können.

So wurden die Dinge später zuhauf einfach umgedreht, der Hals gewendet. Fast alle dieser menschlich verabscheuungswürdigen Typen haben, falls sie eine gute fachliche Bedeutung hatten, im neuen System einen hervorragenden Platz gefunden, einen viel besseren als diejenigen, die ihre Köpfe hingehalten haben.

Klaus Hörügel, Tierarzt in Oschatz, wurde im November sechzig. Eingeladen war auch der stellvertretende Bezirkstierarzt, der neben mir saß. Als ich ihm die Frage stellte, ob ich denn in Anbetracht der Veränderungen meine Staatspraxis privat betreiben könne, lachte er nur und meinte, auch nach dem politischen Erdbeben würde die führende Rolle der Partei der Arbeiterklasse, sprich SED, nicht angerührt, eine Privatisierung könne ich mir aus dem Kopf schlagen. Also ging fast alles erst mal so weiter wie bisher.

Im Frühjahr 1990 rief Jürgen Vaerst an, ob ich mit nach Hamburg kommen würde, dort fände eine Veranstaltung eines der führenden Unternehmen für Tierfuttermittel statt, und etwa hundert Kollegen aus der DDR wären eingeladen, alles Kleintierpraktiker. Er könne für mich auch eine Einladung besorgen. Natürlich nahm ich das Angebot an und wir kutschten voller Vorfreude auf das Kommende im Wartburg von Jürgen gen Westen.

Schon der Empfang war überwältigend. Jeder bekam seine Auslagen für Auto oder Bahn in Westgeld ersetzt, ich als nur Beifahrer ging leider leer aus. Dann hatte man für uns ein Zimmer im Nobelhotel „Atlantic“ reserviert, Doppelzimmer, aber nicht wie in der DDR bei Fortbildungen üblich zu zweit, eventuell mit einem wildfremden, unsympathischen Kollegen im Ehebett, sondern jeder hatte das Zimmer für sich allein.

Am nächsten Tag stand der Besuch einer Fabrik für Kleintierfutter auf dem Programm. So einen sauberen Betrieb hatten wir noch nicht gesehen, ein Kollege naschte sogar einen Brocken trockenes Katzenfutter von einem Fließband und fand es recht schmackhaft. Wie sah da der Schlachthof in Altenburg aus! Gestank, Konfiskate im Freien auf einem Haufen, Ratten. Und das in einem Betrieb, der Fleisch für den menschlichen Verzehr herstellte. Wir kamen ganz schön ins Grübeln. Aber eines muss ich zur Ehrenrettung sagen: Das Fleisch schmeckte noch nach Fleisch, eine Lende vom Rind oder Schwein war ein Hochgenuss. Und ein Schweineschnitzel schrumpfte noch nicht in der Pfanne, weil das Wasser in ihm seinen Zustand bedenklich veränderte. Die Tiere konnten aufgrund des Mangels entsprechender Leistungsfuttermittel nicht so schnell ihr Gewicht erhöhen wie jetzt, und das wirkte sich absolut positiv auf die Qualität dieser Lebensmittel aus. Dafür essen wir jetzt weniger Fleisch, weil es nicht mehr schmeckt, und tun damit etwas Positives für unsere Gesundheit.

Die Abende wurden entsprechend auf hohem Niveau gestaltet, Essen und Trinken vom Feinsten. Im Nachhinein wurde mir dann schon klar, dass diejenigen Unternehmen, die zuerst malten, auch den größten Ertrag einfahren würden. So ging es auch mit einigen Arzneimittelherstellern, die den riesigen ostdeutschen Markt schnell erschließen wollten in Vorausschau der kommenden Veränderungen.

Das Frühjahr ging vorüber, der Sommer kam, die Aufbruchsstimmung war unbeschreiblich, aber auch die Ungewissheit, was uns die Zukunft bringen würde. Im Nachbarkreis hatte sich ein Kollege privatisiert. Ich nahm sofort Kontakt auf, er hatte ein Hinweisschild an der Straße zu seinem Haus aufgestellt mit dem Schriftzug: „Erste private Tierarztpraxis Dr. …“. Das spornte mich an, es ihm gleichzutun.

Peter Wittig, mein Kreistierarzt und guter Freund, war nicht so recht begeistert von meinem Vorhaben, aber ich setzte mich durch und konnte am ersten Juli meine Staatspraxis in eine private umwandeln. Im Nachbarkreis warnte man die dortigen Kollegen vor diesem Schritt, der Werner würde untergehen, das trüge sich finanziell überhaupt nicht und ähnliche Angstbilder, die aufgebaut wurden. Aber für uns, Regina und mich, war es trotz der veränderten Situation die richtige Entscheidung.

Natürlich gab es nun ein Finanzamt, Versicherungen mussten abgeschlossen werden, die Medikamente mussten erst mal bezahlt werden, bevor sie Geld einbrachten, das Auto unterhielt nicht mehr der Staat, sondern wir hatten die Ausgaben. Und sämtliches Inventar, das so gebraucht wurde, musste vom noch staatlichen Veterinärwesen abgekauft werden. So wurden zum ersten Mal Schulden gemacht. Aber es wurden die schönsten Monate in meinem Tierarztleben. So hatte ich es mir immer vorgestellt, für viel Arbeit auch ordentlich verdienen.

Da die anderen Kollegen im Kreis erst mal die Entwicklung bei uns abwarteten und noch fleißig Urlaub machten, freute ich mich über jeden Anruf aus deren Praxis, und wenn es bei uns nach dem Abendbrot noch klingelte, weil irgendwo eine Kuh meine Geburtshilfe benötigte, saß ich singend im Auto, da sich all meine Mühe auch in klingender Münze niederschlug.

Urlaub hatten wir noch mal im Frühjahr gemacht und waren zum Skilaufen ins Stubaital gefahren. Das war schon etwas anderes als Oberwiesenthal oder Jasna und Zakopane. Für über drei Jahre sollte das der letzte Urlaub gewesen sein, aus Angst vor Konkurrenz, nicht so aus den eigenen Reihen, sondern von Kollegen aus dem Westen, die doch in einigen Agrargenossenschaften ihre Künste anpriesen und dank ihrer besseren rhetorischen Fähigkeiten auch so manchen Agrarchef überzeugen konnten, doch alles selbst zu machen bei den Viechern. Die Medikamente und genaue Anweisungen, was wann wie gegeben oder gespritzt werden musste, würden sie liefern. Autobahntierärzte.

Also blieb ich immer präsent, um auf solche Dinge reagieren zu können. In der Zwischenzeit waren alle Kollegen im Kreis privat, und mit meiner Nachbarkollegin hatte ich ein recht gutes Verhältnis, dienstlich, damit dies niemand falsch versteht. Keiner versuchte, dem anderen Patienten oder Betriebe abspenstig zu machen und so konnten wir uns auch gegen Angriffe von außen erfolgreich wehren. Urlaub machten wir trotzdem erst mal keinen, aber zu Fortbildungen wurde fleißig gefahren.

Unser neuer Amtstierarzt wurde der alte, der ehemalige Kreisveterinär Peter Wittig. Viele der alten Genossen hatten auf die eine oder andere Weise das Kunststück geschafft, trotz ihrer nicht gerade ruhmreichen Vergangenheit den Hals in die richtige Richtung zu drehen, Wendehälse eben. Bei Wittig war es anders. Alle Kollegen stimmten für sein Verbleiben im Amt. Es war der Lohn dafür, dass er in den totalitären Zeiten der DDR immer einen zutiefst menschlichen Umgang mit uns gepflegt hatte. Und wir haben es ihm ja auch nicht gerade leicht gemacht, viele unangenehme Dinge hielt er von uns fern, er schwärzte nie einen Kollegen bei seiner übergeordneten Dienststelle an. Unter seiner Leitung war das berufliche Leben in diesem System viel leichter zu ertragen. Das muss ich hier einfach sagen, zumal es ganz andere Chefs gab, die ihren Kollegen das Leben zur Hölle gemacht haben.

Schon zu Zeiten der DDR interessierte ich mich für Naturheilverfahren. Dabei hatte es mir die Akupunktur besonders angetan. Uli absolvierte einen Kurs für Humanmediziner, der aber ganz inoffiziell und nur für zum Beispiel Sportmediziner möglich war, da die offizielle Meinung solche Behandlungsmethoden als üble Scharlatanerie bezeichnete und ablehnte. Aber für die Medaillenjagd der Sportler musste auch das ausprobiert werden.

Ich ärgerte mich mal wieder darüber, keine Möglichkeit zum Erlernen der Akupunktur zu bekommen, ließ mir von Mutti aber Bücher sowohl über Tier- wie Menschenakupunktur schicken und versuchte mein Glück im Selbststudium. Das gelang aber nur bis zu einem gewissen Punkt, da die komplizierten Zusammenhänge aus Büchern nicht zu erlernen waren.

Nun, nach der Wende, gab es die Möglichkeit, an Fortbildungskursen auf diesem Gebiet teilzunehmen. Der erste Kurs fand in Hannover statt an der dortigen Fakultät. Ich war mit Bert dorthin gefahren, Westgeld hatten wir noch nicht, und so stellte die Übernachtung die erste Hürde dar. Wir schliefen in unserem Auto, im Niva, eng und kalt, mehr schlecht als recht und schämten uns auf die Frage, wo wir denn untergekommen seien, wahrheitsgemäß zu antworten. Wir hatten angeblich Bekannte besucht und dort übernachtet.

Die Kursgebühren wurden uns erlassen, und abends in einer Gaststätte beim Ausklang des Tages zeigten sich einige West-Kollegen spendabel, denn wir trauten uns ja nicht, etwas zu bestellen. Ein besonders gutes Verhältnis hatte ich, Bert später auch, zu Dr. Freiherr von Cramm, den ich dann später noch bei vielen Kursen wiedertraf.

Als Nächstes machte ich eine Intensivfortbildung der Humanmediziner in Freudenstadt, eine Woche lang. Wir hatten inzwischen die D-Mark, und so konnte ich mir das teure Vergnügen leisten. Regina war mitgekommen, wir hatten eine schöne Woche, lernten auch nette Tierarztkolleginnen kennen, die diese Fortbildung ebenfalls nutzten, um für die Prüfung zur Zusatzbezeichnung „Akupunktur" fit zu werden. Ich hatte nie gedacht, dass ich noch mal mit über fünfzig Prüfungen absolvieren müsste. Aber nachdem ich noch viele Kurse besucht hatte und die nötige Stundenzahl beisammen war, meldete ich mich zur Prüfung an, schwitzte mehr als jemals zuvor, aber erhielt meine Zusatzbezeichnung.

Nun kam es schon mal vor, dass ich einen Hund mit Rückenproblemen mit meinen Nadeln spickte und der Besitzer fragte, ob ich dies denn auch bei ihm machen könne, beim Struppi hätte es doch so gut geholfen, und er selbst habe doch auch Probleme mit Rücken und Schulter. Ich behandelte diese Personen, hatte aber immer Angst, es könnte etwas passieren oder dass Humankollegen, die auch solche Therapien anboten, mir einen Knüppel zwischen die Beine werfen würden. So meldete ich mich kurz entschlossen zu einer der nächsten Heilpraktikerprüfungen im Kreis an. Der Kreisarzt informierte mich über das Prozedere, ich lernte wie ein Besessener und saß dann schon wieder vor einem Gremium von Prüfern, schrecklich.

Irgendwie hatte ich dann auch diese Hürde genommen und machte zweimal in der Woche abends eine Sprechstunde für Menschen neben der Groß- und Kleintierpraxis. Das ging alles ganz gut, aber es passierte auch, dass neben wartenden Menschen plötzlich die Tür aufging und ein Schäferhund mit seinem Herrchen hereinspazierte. Ich benutzte die gleichen Räume für Mensch und Tier, und das ging auf Dauer nicht. Manche Leute fragten auch skeptisch, ich sei doch Tierarzt, wieso dürfe ich dann auch Menschen behandeln. Meine Antwort war dann etwa so: „Sie können doch zu einem Straßenbahnschaffner gehen, der Heilpraktiker geworden ist." Nichts gegen Schaffner, aber so sind die Leute eben.

Die erste freie Wahl stand vor der Tür. Die alten Genossen hatten sich in ihre Mauselöcher zurückgezogen, manch einer von denen wagte den Sprung auf eine Wahlliste, indem er Unterschriften für seine Kandidatur sammelte, um als Nichtparteimitglied zu versuchen, in ein Parlament zu kommen. Ich hatte mir erst mal keine Gedanken über eine eventuelle Kandidatur gemacht, hatte aber an dem Tag, an dem die Listen geschlossen wurden, das Gefühl, nicht alles den alten Kadern überlassen zu wollen. Es ging um die Wahl des Gemeinderates.

Eine Stunde vor Ablauf der Frist telefonierte ich mit der Chefin der CDU, und sie meinte, ein einziger, der letzte Platz auf der Liste wäre noch frei. Ich ließ mich aufstellen.

Der Wahlsonntag kam, die Auszählung der Stimmen auch. Ich gewann mit einem Stimmenanteil, den ich nie erwartet hätte. Nun sollte ich Bürgermeister werden. Aber da habe ich mich erfolgreich dagegen gesträubt und wurde für die Legislaturperiode Stellvertreter. Diese Entscheidung war goldrichtig.

Ich würde das alles überhaupt nicht erwähnen, wenn ich nicht eine Entscheidung beeinflusst hätte, die ich später bitterlich bereut habe. Aus den alten Bundesländern kamen Leute, die bei uns einen Golfplatz bauen wollten. Sie hatten schon Pläne dabei, welche Flächen sie benötigten, natürlich Ackerflächen unserer Bauern, wo das Klubhaus hinkommen sollte und vieles mehr. Golf, da sträubten sich mir die Haare. Und dann auch noch auf den Feldern meiner Bauern, die hätten dann sicher auch ihre Viehhaltung aufgegeben oder reduziert. Nein. Ich redete mit Engelszungen dagegen. Es wurde auch nicht gebaut. Über zehn Jahre später hätte ich mit der gleichen Vehemenz für ein solches Projekt gestritten. Die Strafe folgt nicht immer auf dem Fuße, sondern manchmal erst viele Jahre später.

Meine Freundin Gisela, Freundin als Freund zu verstehen, aus Berlin, mit der ich zahllose Kurse besucht hatte, rief eines Tages an, das Fernsehen hätte sich bei ihr gemeldet und angefragt, ob sie für einen Beitrag über Akupunktur zur Verfügung stehen würde und ob sie noch einen Kollegen wüsste, der auch Großtiere mit dieser Methode behandelte, besonders Kühe und Schweine. Es gab in den Kursen unserer Ausbildung ganz versierte Kollegen auf diesem Gebiet, aber Gisela nannte meinen Namen und Adresse, und so kam es zu meinem ersten und einzigen Fernsehauftritt.

Ein Kameramann und eine Dame fürs Interview machten mit mir einen Termin an einem Freitagmorgen. Als Erstes sollte ich eine Kuh akupunktieren. Der Chef der Agrargenossenschaft, in dessen Stall das von mir ausgesuchte Tier stand, war überhaupt nicht erfreut über den Besuch eines Fernsehteams und gab das mir auch unmissverständlich zu verstehen. Aber dann konnte ich ihn doch noch überzeugen, wie wichtig mir die Sache war.

Bert hatte frei und assistierte mir, denn ein Rindvieh hat nicht unbedingt Spaß daran, sich an irgendwelchen Stellen mit Nadeln spicken zu lassen. Ich hatte eine Kuh ausgewählt, die Probleme mit einem ihrer vielen Mägen hatte und erzählte, welche Punkte ich wann und wie behandeln wollte. Es ging gut, die Nadeln saßen, wo sie sitzen sollten, der Kameramann hatte alles schön im Bild und die Kuh guckte nicht mehr ganz so misstrauisch wie zu Beginn der Prozedur.

Die Zeit verging, immer mal wurden neue Einstellungen gedreht, und so kam der Mittag heran. Ich hatte zwei Katzen und ein Meerschweinchen in die Praxis bestellt. Bei der Meersau machte ich eine Laserakupunktur am Ohr, die eine Katze hatte Katzenschnupfen und bekam Nadeln gesetzt, die andere zeigte eine Hüftgelenkslahmheit, hier kam wieder die Ohrakupunktur zum Einsatz. Anschließend musste ich noch stundenlang, so kam es mir vor, es waren aber etwa zwanzig Minuten, erzählen, wie ich zur Akupunktur gekommen war und ähnliches.

Geld gab es keins für den versauten Tag, aber dafür dann die Ausstrahlung im MDR für knappe fünf Minuten. Ein Patientenbesitzer erzählte aber später, er hätte den Beitrag im Bayrischen

Fernsehen gesehen und so hoffte ich, dieser Auftritt würde mir den Eingang zum Club der deutschen Tierakupunkteure ebnen. Und so kam es dann auch.

Die Tierärzte von Namibia wollten einen Kongress veranstalten, da 1894, also vor hundert Jahren, der erste Tierarzt, ein Deutscher, in Namibia praktizierte. Und ich sollte einen Vortrag halten, natürlich über Akupunktur. Freudig sagte ich zu in der Annahme, es würde sich um eine relativ kleine Veranstaltung der namibischen Tierärzte handeln und alle würden sowieso Deutsch sprechen. Aber dann kam das Programm. Kongresssprache Englisch. Referenten aus der ganzen Welt, einige Professoren aus Deutschland, Leute von der WHO, aus Rom, ach, ich stand mit „Langenleuba-Niederhain", einem Nest, das nicht mal alle meine Bekannten kennen, neben all diesen klangvollen Namen und mir wurde doch etwas mulmig zumute.

Im September sollte es losgehen, wir hatten Juli und ich musste als Erstes meine recht bescheidenen Englischkenntnisse vervollkommnen. Bert hatte mir meinen Vortrag schon übersetzt, aber ich machte noch einen Intensivkurs bei einer US-Amerikanerin, der mir aber auch nicht mehr viel genützt hat. Dieser Dame gab ich Berts Übersetzung zur Korrektur, wir saßen zwei Abende bis in die Nacht, und oft meinte sie, so wie dies oder jenes übersetzt sei, könne es keiner verstehen. Also wurde der ganze Vortrag noch mal neu gestaltet in der Hoffnung, nun ein einigermaßen verständliches Englisch vortragen zu können. Zwanzig Minuten sollte das Ganze dauern. Wer schon mal vor einem Auditorium gestanden hat und etwas erzählen musste weiß, dass diese Zeit verdammt lang werden kann. Täglich las ich laut meine Zeilen und versuchte, möglichst frei zu referieren. Es sollten vergebliche Mühen werden.

Der September kam heran, der Flug und ein Allradauto waren gebucht, denn wir wollten die Gelegenheit auch dazu benutzen, das Land und seine Natur kennenzulernen. Wir schleppten auch noch ein Zelt und Isomatten mit neben Kameras, Objektiven und einem Stativ. Der Kongress sollte in der Mokuti Lodge am Etosha Park stattfinden, wir hatten unser Quartier im alten Fort Namutoni und freuten uns auf das, was uns erwartete.

Der Tag der Abreise kam, und mit ihm ein teuflischer Hexenschuss. Ich konnte mich kaum fortbewegen. Bert brachte uns nach Altenburg zum Bahnhof und musste dann noch bis Leipzig mitfahren, um unser Gepäck zu tragen. Ich war dazu nicht in der Lage. Er verfrachtete uns in den Zug nach Frankfurt, ich legte mich die ganze Fahrt über auf meinen Sitz, den ich für mich alleine hatte. Mühsam ging es dann zum Flughafen, in der dortigen Apotheke kaufte ich Voltaren-Tabletten und hoffte, eine Wirkung zu erzielen. Ich hatte aber nur Rezeptvordrucke mit dem Kopf „Staatliche Tierärztliche Gemeinschaftspraxis Wieratal“ mitgenommen, darunter mein Name. So musste ich erst mal das Rezept kastrieren und die erste Zeile abschneiden. Dies sah sehr gerupft aus, aber ich erhielt das gewünschte Medikament und nahm gleich zwei Tabletten.

Wir kamen vom Dorf, es war unsere erste große Reise nach der Wende mit dem Flieger, und so wussten wir in all der Hektik in den großen Abfertigungshallen nicht so richtig, wo wir einchecken mussten. An einem kleinen, schalterähnlichen Tisch mit einer Bank davor und der Aufschrift „Air Namibia“ setzten wir uns hin und warteten aufs Personal. Es kam niemand. Uns wurde schon etwas mulmig zumute, da spazierten ein Flugkapitän und zwei Bordbegleiterinnen an uns vorbei. Ich fragte hastig, ob das denn der Schalter für unsere Airline wäre. Verwundert schauten die drei uns an und sagten, wir müssten in die große Halle da hinten, dort wäre die Abfertigung.

Die Zeit drängte. Wir schnappten unsere zwei großen schweren Koffer, ich hängte mir meine riesige Fototasche mit den zwei Spiegelreflexen und den vielen Zusatzobjektiven um und liefen, ich humpelte, in die Halle zu unserem Schalter. Schnell eingecheckt, dann in den Transitbereich.

Als unser Flug zum Einsteigen aufgerufen wurde, konnte ich nicht aufstehen. Die Beamten meinten, ich sollte erst mal alle anderen Passagiere weglassen, da das doch eine Weile dauern würde. Alle waren weg, ich konnte mich immer noch kaum fortbewegen. Ich zog mich an dem einen Mann von der Bundespolizei in die Höhe, die Arme um dessen Hals geschlungen wie bei Verliebten. Es war schon peinlich. Dann lief ich, ach nein, ich setzte einen Fuß vor den anderen, zum Flieger.

Endlich sitzen. Wir hatten scheußliche Plätze, ich saß in der Mitte einer Viererreihe, aber mir war alles egal. Die Schmerzen ließen am frühen Morgen etwas nach, und nach der Landung konnte ich sogar besser laufen als am Vorabend.

Die Übernahme unseres Toyota verlief nicht ohne Ärger. Zwei Reifen zeigten kaum noch Profil. Trotz Hexe bückte ich mich, ließ mich eher auf die Knie fallen, um den Zustand der Reifen zu kontrollieren. Nun dauerte es Stunden, bis einer sich bequemte, mir andere Räder ans Auto zu montieren. Er wechselte sie einfach mit einem anderen Fahrzeug.

Die Fahrt nach Windhuk ging ganz gut, der Rechtslenker und der Linksverkehr waren aber gewöhnungsbedürftig. Immer wenn ich blinken wollte, erwischte ich die Scheibenwischer. Auch das Schalten mit der linken Hand musste geübt werden. Aber wir kamen glücklich in unserem Hotel „Fürstenhof" an. Darüber hatte ich im Reiseführer gelesen, die Küche sollte exzellent sein.

Wir parkten im Innenhof. Sofort war ein livrierter älterer dunkelhäutiger Portier zur Stelle, um uns die Koffer abzunehmen. Alles konnte der aber auch nicht schleppen, und so musste Regina als zweiter Lastesel herhalten. Ich konnte immer noch nichts tragen, aber das wusste der Portier ja nicht. Er warf mir bewundernde Blicke zu, die etwa so viel ausdrücken sollten wie: „Respekt, dass ein Weißer seine Frau die Arbeit machen lässt."

Das Zimmer und besonders das Bett waren himmlisch, zumindest habe ich das in meinem Zustand so empfunden. Erst mal duschen, ganz heiß auf den Rücken, dann ein kühles „Windhoek Lager" Bier und ins Bett. Es war früher Nachmittag. Nach einer Stunde klopfte es zaghaft an der Tür. Regina machte im Nachthemd auf, draußen stand ein schwarzes Zimmermädchen und brachte uns etwas Obst. Danke. Nach weiteren zwei Stunden klopfte es wieder, diesmal ein anderes Mädchen mit etwas Gebäck zum Naschen. Und verschmitzt schaute sie, genau wie die erste. Eine dritte klopfte ebenfalls und murmelte etwas für uns Unverständliches. Sicher wollte sie auch nur mal die zwei Alten sehen, die schon am Nachmittag für Stunden ins Bett gingen.

Später wollte ich mich elektrisch rasieren, aber der Weltstecker, den mir unser Elektro-Krause angedreht hatte, funktionierte nicht, und Regina würgte den Stecker des Rasierers mit Mühe in die Steckdose. Mit Aussetzern gelang dann das Shapen.

Als wir am Abend zum Essen gingen, ich schlurfte mühsam die Treppe hinunter zum Speisesaal, schauten die Mädels um die Ecke mit einem Ausdruck wie: „Die alten Leute, stundenlang in den Federn, und schau, der Alte kommt nun kaum die Treppe hinunter ..." Wir haben es nie aufklären können.

Auf der Hotelterrasse nahmen wir einen Drink, dann reservierte uns die Chefin, eine vornehme ältere Dame, einen Tisch im Speisesaal. Dort empfing uns ein auf alt und fürstlich gemachtes Ambiente, überall Blumen und Grünpflanzen, ein fein und geschmackvoll geschmückter Tisch. Und ein tolles Essen! Ich bestellte ein Steak vom Oryx oder Spießbock, Regina zauderte erst bei einem Baby-Kingklip, weil ich tückischerweise meinte, das wären gegrillte junge Klippschliefer – aber es war natürlich eine Fischart. Soßen und Gemüse vom Feinsten, und dazu weißer und roter Wein vom Kap, so konnte es weitergehen.

Wir waren in Afrika. Auch wenn die Hauptstadt Namibias nicht gerade echt afrikanisch wirkt, aber das Gefühl und der Geruch dieses Kontinents hatten mich schon ergriffen und sollten mich auch nicht wieder loslassen. Immer hatte ich mir's gewünscht, jetzt war es Wirklichkeit geworden. Sicher, wenn nicht der Zwang meines Vortrags gewesen wäre, wer weiß, ob wir so schnell eine Reise nach Afrika angetreten hätten.

Am nächsten Morgen, mein Hexenschuss war leicht in Besserung, aber immer noch vorhanden, fuhren wir zum Naturschutzbüro am Kudu-Denkmal in der Independence Avenue, um uns Permits für verschiedene Gegenden zu holen, die nur mit einer solchen Genehmigung betreten werden konnten. Das Büro war relativ schwer zu finden, eine missgelaunte weiße Angestellte stellte uns für eine entsprechende Gebühr die Scheine aus, keine Beratung oder dergleichen. Im Gegensatz dazu war die junge farbige Frau in der Bank beim Einlösen unserer Reiseschecks, die neben Englisch und Afrikaans auch noch fließend Deutsch sprechen konnte, von überwältigender Freundlichkeit.

Wir brauchten noch Safarikleidung. In einem Spezialgeschäft erstanden wir zwei Hüte, Regina hat einen für Hüte ausgesprochen gut geeigneten Kopf und sah hinreißend aus, im Gegensatz zu mir, irgendwie dodelig wirkte das Ganze. Aber es musste sein. Dazu erstanden wir noch jeder eine Safariweste, und ich trage diese auch nach zwanzig Jahren auf unseren späteren Touren noch sehr gerne. Neben viel kitschigen geschnitzten Andenken gab es auch tolle Holzplastiken, teuer und teilweise irre schwer.

Gegen Mittag starteten wir dann Richtung Norden, zum Etosha Nationalpark. Durch Windhuk führen zwei breite Hauptstraßen, einmal in die Nord-Süd-, zum anderen in die Ost-West-Richtung. Kaum zu verfehlen, und ich war immer schon auf meinen ausgezeichneten Orientierungssinn stolz. Aber irgendwie schien sich das mit zunehmendem Alter zu verlieren. In einem Kreisverkehr, natürlich linksherum zu befahren, nahm ich mit Schwung die falsche Ausfahrt. Zuerst war die Straße nicht von der Hauptstraße zu unterscheiden, aber dann wurde sie immer schmaler, der Asphalt verwandelte sich in Schotter, später in mehligen Sand, die Häuser waren nur noch erbärmliche Hütten, und auf einmal war die Straße weg. Wir waren in der Siedlung Katatura gelandet, was so viel heißt wie „der Ort, an dem wir nicht leben wollen“. Und wir wollten dort nicht unsere Reise beenden.

Flugs fragte ich einen am Wegrand sitzenden Afrikaner, wo denn der Weg nach Etosha sei. Ich erhielt nur ein Achselzucken. „Dort, wo es Elefanten und Löwen gibt“, fragte ich, aber es blieb das gleiche Spiel. Er wusste es nicht. Wir irrten herum und sahen plötzlich ein Taxi, fragten höflich nach dem Weg und oh Wunder, wir wurden erhört. Der Fahrer lotste uns bis zur Hauptstraße und wir konnten nun unsere Fahrt ohne Zwischenfälle fortsetzen.

Der Tourismus steckte 1994 noch in den Kinderschuhen, und so begegneten uns auf dem Weg nach Norden alle Stunden mal ein oder zwei Autos. Die karge Landschaft wirkte auf die Dauer etwas einschläfernd, aber mancher Ort, den wir passierten, zeigte herrlich blühende Sträucher, Büsche und Bäume, Kakteen und Agaven in seinen Vorgärten.

Gegen sechs Uhr am Abend kamen wir am „von Lindequist-Gate“ des Etosha Parks an. Dort erhielten wir ein Permit für die Weiterfahrt ausgestellt. Zwölf Kilometer ging es dann auf einer schnurgeraden Straße nach Namutoni, dem alten deutschen Fort, in dem wir unser Zuhause für eine Woche haben sollten. Es war schon ein sonderbares Gefühl, am Straßenrand standen einige Springböcke, und immer mal lugten ein oder zwei Giraffen von oben auf unser Gefährt.

Dann tauchte es vor uns auf, weiß, zinnenbewehrt, Fort Namutoni. In der Rezeption lange Listen mit den Kongressteilnehmern, aber kein Dr. Werner drauf. Langsam bekam ich Panik. Wir buchten erst mal einen Bungalow und hofften, dass sich alles aufklären würde, da wir zwei Tage vor Beginn des Kongresses angereist waren.

Nach Kofferschleppen und Begutachtung unserer Unterkunft, sie gefiel uns, machten wir uns auf den Weg zur Gaststätte. Ein riesiges Wildsteak stillte den Hunger, aber statt der erwarteten afrikanischen Musik dudelte Heino aus den Lautsprechern. Wir ertrugen es gefasst.

Am nächsten Morgen ging es nach einem ausgiebigen Frühstück auf Pirschfahrt in den Park. Vorher fragte ich nochmals an der Rezeption wegen meiner Reservierung, aber niemand fand meinen Namen. Das konnte ja gut werden. Den Bungalow mussten wir auch verlassen und stattdessen in ein sogenanntes Motorhome umziehen. Dort empfing uns ein schlampig gereinigtes Inneres, unter dem Bett waren faustgroße Löcher, die eine ideale Möglichkeit für Schlangen und Skorpione zum Hineinschlüpfen boten.

Wir machten uns auf den Weg zu den größeren Lebewesen. An den von uns angefahrenen Wasserlöchern, alle gut auf einer Karte ersichtlich und an den Kreuzungen der Pisten ausgeschildert, sahen wir endlich die ersehnten Tiere, Zebras beim Trinken, Springböcke, Giraffen, Kudus mit ihrem Schraubengehörn und viele Elefanten. Meine Kameras standen nicht still, aber mit den Bildern musste ich doch etwas haushalten, da die Diafilme nur sechsunddreißig Aufnahmen pro Film hatten und nur vierzig Filme in meiner Fototasche lagen. Belichtete und unbelichtete

Filme musste man damals wegen der Strahlenbelastung bei den Gepäckkontrollen an den Flughäfen in bleibeschichteten Beuteln transportieren, da waren vierzig Filme schon eine nicht zu unterschätzende Menge.

Natürlich haben wir uns trotz guter Karte wieder einmal verfahren und es wurde recht spät. Es war der Vorabend des Kongresses, wir fuhren wieder aus dem Park raus zur Mokuti Lodge zur Registrierung. Hier war alles klar, wir erhielten Namensschilder, Dr. Schneider, der Präsident der namibischen Tierärzte und auch Präsident des Welttierärzteverbandes begrüßte uns und wünschte alles Gute. Und für die nächsten Tage hatten wir ein Zimmer im Fort.

Glücklich wollten wir wieder zurück, kamen gerade noch so durch den schon halb geschlossenen Eingang des „von Lindequist-Gate". Es wurde blitzartig dunkel, wir fuhren deshalb langsam zum Namutoni. Dort war das Tor schon fest verschlossen und mindestens drei Meter hoch. Kein Hupen nützte was, wir saßen da und dachten schon, im Auto schlafen zu müssen. Plötzlich öffnete sich ein kleines Seitentor und einige Bedienstete kamen herausgefahren, sie wollten sicher irgendwo außerhalb in eine nicht so teure Kneipe. Wir waren gerettet und nutzten den Nebeneingang genauso.

Die afrikanische Nacht ist etwas Besonderes. Trotz Sternenhimmel ist alles so rabenschwarz, dass man auf kürzeste Entfernung kaum mehr etwas sehen kann. Und so suchten wir unser durchlöchertes Motorhome bald eine halbe Stunde lang. Endlich gefunden, kurz etwas anderes angezogen, wollten wir uns ein schönes Abendbrot gönnen, zumal wir an diesem Tag nur gefrühstückt hatten. In der Gaststätte gab es nichts mehr, keine Kleinigkeit. Wir gingen hungrig zu Bett, aber ohne nicht vorher mühsam die Löcher unter dem Bett zuzustopfen.

Die Eröffnung des „Jahrhundertkongresses" in der Mokuti Lodge war recht feierlich. Auch ich hatte mich herausputzen müssen, dunkles Jackett, weißes Hemd und Krawatte, bei der Hitze nicht gerade angebracht, aber der Raum war gut klimatisiert. Als Gäste waren auch Regierungsvertreter, sogar der Präsident von Namibia, gekommen. Daneben Diplomaten aus anderen afrikanischen Ländern und Vertreter der Tierärzteschaft aus vielen Ländern der Welt. Die Repräsentanten der Tierärzteschaften hielten eine kurze Ansprache. Dabei erwähnte der Vertreter Deutschlands nur die tierärztlichen Fakultäten Berlin, München, Hannover und Gießen, Leipzig vergaß er. Nach der Eröffnung verließen die namibischen Regierungsleute den Saal und alle Anwesenden mussten aufstehen.

Nachdem es mittags ein gutes Buffet gab, mein Magen war schon arg geschrumpft ob der Hungerkur am Vortag, machten Regina und ich schnell noch für ein paar Stunden einen Ausflug zur Etosha-Pfanne und konnten uns nicht sattsehen an der tollen Landschaft und den vielen Tieren.

Das Empfangsdinner am Abend in der Mokuti war kaum zu überbieten. Ich aß zum ersten Mal in meinem Leben Krokodil, auf das kann man aber getrost verzichten, schmeckt wie Hühnchen, das mit Fischmehl gemästet wurde, Strauß, Kudu und Zebra, alles lecker. Dazu weiße und rote Weine aus Südafrika, einer vorzüglicher als der andere. Der Abend wurde immer schöner. Wir saßen mit zwei Kollegenehepaaren aus Deutschland am Tisch, die noch vor dem Mauerbau in Berlin in die Bundesrepublik geflüchtet waren. Als der die BRD vertretende Professor an unseren Tisch kam, konnten es sich unsere beiden Kollegenehepaare nicht verkneifen, auf den Fauxpas mit den Fakultäten hinzuweisen. Der Prof antwortete etwas angesäuert, die im Osten hätten doch schon so viele Milliarden Hilfe bekommen, die sollten sich nicht so anstellen. Peng! Später meinte er dann bei einem offiziellen Meeting, ein Kollege aus dem Osten hätte sich beschwert über den Fehler, er korrigiere ihn hiermit.

Inzwischen hatten wir unser Motorhome gegen ein Zimmer im Fort eingetauscht und fühlten uns rundherum wohl, wäre da bei mir nicht immer mal dieses unangenehme Kribbeln in der Magengegend gewesen, wenn ich an den nächsten Tag und meinen Vortrag denken musste.

Der Tag und die Stunde kamen unerbittlich näher, und dann war es so weit. Angekündigt wurde ich als „Exot", der über etwas Ausgefallenes referieren würde. Ich erklomm mit pochendem Herzen das Podium, legte meine Folien zur Projektion bereit, schaltete den Laserpointer an und begann über Körper- und Ohrakupunktur bei Groß- und Kleintieren zu reden. In Englisch. Alles, was ich mir vorgenommen hatte mit freier Rede und so weiter war wie weggeblasen. Jedes Wort musste ich ablesen, wenn ich etwas auf einer Folie erklärte, ließ ich meinen Finger ängstlich auf der aktuellen Zeile meines Manuskriptes, um ja nicht aus der Spur zu kommen. Mein sächsisch angehauchtes Englisch wurde gottseidank einigermaßen verstanden.

Zum Schluss zeigte ich noch eine karikaturhafte Zeichnung von einem Nashorn, dem der Tierarzt mit einem Hammer Nägel durch den Panzer in die Akupunkturpunkte treibt und sagte: „Wenn Interesse besteht oder noch praktische Erfahrungen gewonnen werden sollen, könnte ich das Ganze genauso morgen im Etosha Park am lebenden Objekt vorführen." Alle lachten, ich hoffe im Nachhinein, es war kein gequältes Lachen, und ich musste noch eine Menge Fragen beantworten.

Es war geschafft, ich war glücklich. Meinen Laser habe ich dann einem anderen deutschen Kollegen für dessen Vortrag geborgt. Es war aber nicht bloß ein Pointer, dafür konnte man ihn benutzen, wenn die Linse abgeschraubt wurde, sondern ein sauteurer Therapielaser. Der Kollege legte ihn vor unsere Zimmertür mit „Besten Dank für die Lampe …!" Abends klärte ich ihn auf, aber es war ja gut gegangen, er war nicht weg.

Nun konnte unsere Reise durch Namibia weitergehen. Ich hatte inzwischen meine alte Fähigkeit, mir Reiserouten einzuprägen wiedererlangt und wir suchten uns zum Erreichen der angedachten Ziele auch abenteuerliche Nebenstraßen aus, die uns zwar manchmal fast zum Verzweifeln brachten, dafür aber noch einsamer waren als die schon menschenleeren namibischen Pisten.

In der Palmwag Lodge schlugen wir unser kleines Zelt auf steinigem hartem Untergrund auf. An einem Baum hing ein Schild mit der Aufschrift: „Beware! Do not disturb or approach the elephants!"

Wir gingen erst mal ins Restaurant, aber dort gab es nur für Gäste der Bungalows etwas zu essen. Ein großes Bier musste als Abendbrot reichen. Aber wir hatten uns ja eine Reserve in der Mokuti anfressen können.

Fünfundzwanzig Jahre später waren wir wieder hier, nicht nur in der Palmwag, im ganzen Land hatte sich alles verändert. Die Geschäfte auch kleinerer Orte zeigten ein gutes Angebot an Lebensmitten, sodass auch individuell Reisende keinen Mangel leiden mussten.

Unsere knurrenden Mägen waren nicht die einzigen Geräusche dieser Nacht. Vor dem Zelt lautes Getrappel von Hufen, dazwischen Geheul von tobenden Schakalen, aber keine Elefanten, die hätten wir sowieso nicht gehört, da sie nur auf leisen Sohlen unterwegs sind. In der Nähe fanden wir aber am nächsten Tag die frischen, unübersehbaren Hinterlassenschaften dieser Tiere.

Unseren Brotvorrat mussten wir einteilen, da wir nicht sicher waren, ob es abends für uns was zu essen geben würde. Aber es gab etwas, weil irgendjemand abgesagt hatte. Suppe, Spargel, Pfeffersteak, es schmeckte köstlich.

Auf dem Weg zur Küste sahen wir an einem Berghang zwei Wüstenelefanten und ich sprang aus dem Wagen, lief nur mit Jesuslatschen an den Füßen zwischen Geröll und stacheligen Sträuchern in eine gute Position zum Fotografieren. Neben unserem Wagen hielt ein anderes Auto und die Insassen fragten Regina, ob sie eine gute Lebensversicherung für mich hätte. Ich hatte die Situation als wenig dramatisch eingeschätzt, und die Elefanten fanden mich überhaupt nicht interessant und liefen unbeirrt ihren Weg.

In Terrace Bay an der Skelettküste verbrachten wir eine Nacht. Das reichte auch. Bungalows im DDR-Stil, das Essen zwar zum Sattwerden, aber für uns nur schwer genießbar, im Gegensatz zu den südafrikanischen Anglern, die den Fraß mit sichtlicher Wonne in sich hineinschaufelten.

Sehenswert waren die Mengen von Walknochen am Strand, aber es lagen auch überall tote Robben herum, mehr oder weniger verfault und stinkend. Es war kalt und nebelig wie an der herbstlichen Nordsee.

Wir verließen die Küste und kamen dem gefühlten Afrika wieder näher, Twyfelfontain mit den Felsgravuren der Buschmänner, der Brandberg mit den berühmten Malereien, nur zu erreichen nach einer stundenlangen Kraxelei durch die Leopardschlucht bei einer irren Hitze, aber dann überwältigend schön.

Da der Abend schon nahte, mussten wir uns um ein Nachtlager kümmern. Ich wollte ja wild zelten, aber Regina war vorsichtiger, und so fuhren wir zur alten Bergarbeiterstadt Uis-Min. Hier war alles stillgelegt außer einem riesigen Camp mit Schwimmbad, Tennis- und Federballhalle. Ein älterer Herr an der Rezeption, beide Knie so kaputt, dass er sich nur im Entengang fortbewegte, meinte, wir sollten unser Zelt im Hof aufschlagen, essen könnten wir in der Kneipe, die es gleich im Gebäude gab.

Die Kneipe besaß eine riesige Bar, wie ich sie noch nirgendwo, außer in alten Wild-West-Filmen, gesehen hatte. Wir setzten uns an einen Tisch, konnten gegrilltes Fleisch und Wurst bestellen und lernten einen jungen Niederländer kennen, Geologe, überall in der Welt zu Hause. Der war begeistert von Namibia und fand, dieses Land sei ein geologisch weißer Fleck auf der Landkarte.

Außer uns gab es hier keine Touristen, an der Bar saßen ein Belgier und ein riesengroßer fetter Spanier. Der zeigte uns einen acht Kilo schweren Aquamarin, der circa zwanzigtausend Mark wert sein sollte. Der Holländer meinte, das seien alles Gangster und es liefen hier eine Menge illegaler Geschäfte mit den Funden aus illegalen Minen.

Das Fleisch, auf das wir uns so gefreut hatten, war zäh, die Wurst ging so. Jerry, der Lahme, setzte sich zu uns, aß fleißig mit, am Ende musste ich eine Menge bezahlen. Und er erzählte von den Jahren auf der elterlichen Farm am Etosha, wo Löwen in einer Nacht sechsundzwanzig Kühe gerissen hatten, von Swapoleuten, denen er und sein Bruder ein Feuergefecht geliefert hätten. Nun wusste ich, woher die kaputten Knie kamen.

In den Zeiten des Swapoaufstands mit den vielen Kontrollen auf den Straßen hatte er fünf gefangene Puffottern auf die Pritsche seines Wagens gelegt. Nach Erblicken der ersten Schlange durch den kontrollierenden Polizisten durfte er immer sofort weiterfahren. In seinem Haus, von der Terrasse aus gut zu sehen, hielt er immer drei Hornvipern. Kein Mensch traute sich, dort einzudringen.

Auf dem Weg nach Swakopmund kamen wir am Kreuzkap vorbei mit seiner riesigen Robbenkolonie und machten einige schöne Aufnahmen. Der Gestank und das Geschrei von Robben und Möwen war gewöhnungsbedürftig.

In Swakopmund konnten wir nach langer Suche für zwei Nächte in einer hübschen kleinen Pension unterkommen. Ein großer weißer Schäferhund bewachte das mit einer hohen Mauer umfriedete Grundstück. Die Besitzerin und ihre Tochter erzählten uns, dass die Einbrüche und Überfälle stark zugenommen hätten, die Hunde würden mit einer an einem Stock befestigten Schlinge erdrosselt, oft wären Schusswaffen im Einsatz. Und die Besitzer von Farmen oder Geschäften dürften sich auch mit solchen verteidigen, nur in den Rücken sollten sie nie schießen, also immer erst ansprechen, damit die Brust das Ziel ist. Die beiden machen uns so richtig Mut für unsere weitere Reise.

Über Walvis Bay ging es in die Namib zum Kusieb River. Am Rande des ausgetrockneten Flusses, überall lagen umgebrochene Bäume herum und die totale Wildnis umgab uns, schlugen wir unser Zelt auf. Und plötzlich war ein großer rötlich-brauner Hund, ein Rhodesian Ridgeback, in unserer Nähe, beäugte das Ganze erst misstrauisch, kam dann näher und strich um unsere Beine. Dünn sah er aus, voller Zecken und Flöhe, aber er wich nicht mehr von unserer Seite.

Wir erkundeten die Umgebung, durchquerten den trockenen Flusslauf und erklommen die angrenzenden Dünen, immer begleitet von „Mungo", so hatten wir den Hund genannt. Wenn Regina zurückblieb und ich fünfzig Meter weiter entfernt war, rannte er von einem zum anderen, als könne er sich nicht entscheiden, bei wem er lieber war.

Abends machten wir uns ein Feuer und den Grill an, Holzkohle hatten wir unterwegs auf einer Straße gefunden, ein Laster hatte sie wohl verloren. Wir brutzelten Fleisch und Boerwors, so etwas wie unsere deutsche Bratwurst, und unser Hund bekam endlich mal was Ordentliches zu fressen, wir natürlich auch.

Als wir uns ins Zelt zurückzogen, scharrte er an der Zeltwand und buddelte sich eine Kuhle. Wir dachten erst entsetzt, er wollte sein Geschäft dort verrichten, aber nein, er wollte nur ganz eng bei uns sein.

Nachts wachten wir auf von Hufgetrappel, dann von eigenartigen Geräuschen, es klang wie das Lachen von Hyänen oder Schakalen. Regina meinte, ich sollte doch mal rausschauen, aber das machte ich dann doch lieber nicht. Und unser Hund? Er sprang auf und rannte knurrend ein paar Meter den Geräuschen entgegen, bellte, bis sie in der Ferne verstummten. Er beschützte uns.

Als wir nach dem Frühstück alles zusammenpackten und der Motor des Autos ansprang, jaulte Mungo so herzzerreißend, dass mir beim Schreiben dieser Zeilen wieder die Tränen in die Augen schießen.

Nach einer weiteren Woche war unsere erste Afrikareise zu Ende. Wir blieben noch für einen Tag in Windhuk und bummelten durch die vielen kleinen Geschäfte auf der Suche nach dem einen oder anderen Mitbringsel für Bert und für uns. In einem Laden, wir hatten ihn schon nach der Ankunft ins Auge gefasst ob seiner schönen Holzplastiken, sahen wir ein großes Flusspferd aus Dolfholz. Es stand auf einem Sockel, glänzte braun und hatte den Kopf lustig zur Seite gedreht. Das Tier hatte für ein Souvenir gewaltige Ausmaße, circa achtzig Zentimeter lang, fett, wie die Tiere nun mal aussehen, und schwer. Es war kaum anzuheben. Es sollte so um die dreihundert Mark kosten. Nein, das war doch zu teuer, handeln war auch nicht.

Wir verließen den Laden, gingen einige Meter und kamen dann zu dem Schluss, dass ein paar Male Essen gehen in Deutschland genauso teuer würde, das Essen wäre weg, aber das Flusspferd würde uns ja immer wieder von Neuem Freude machen und uns die Erinnerungen an diese Reise zurückbringen. Auf dem Absatz kehrt, wieder ins Geschäft und das Tier erstanden. Es sollte uns problemlos nachgeschickt werden. Wir bezahlten das Tier, auch noch die Transportkosten, und freuten uns über unsere Entscheidung.

Zu Hause warteten wir über vier Wochen auf seine Ankunft, und endlich kam ein Anruf vom Flughafen Frankfurt, für uns wäre ein Paket da, ob wir es abholen kommen wollten oder ob es gebracht werden sollte. Ich ließ es anliefern. Da kam aber kein DHL oder UPS, da kamen Mitarbeiter vom Zoll und wollten Einfuhrsteuer und Geld fürs Überbringen, noch mal so um die dreihundertfünfzig Mark. Sie könnten es auch wieder mitnehmen, wenn ich die Annahme verweigerte. Ich war geschockt, hilflos und zahlte dann doch.

Beim Auspacken zeigten sich ein abgebrochenes Ohr und ein Bein im gleichen Zustand. Bein und Ohr konnte ich dann so ankleben, dass niemand etwas sehen konnte. Wir haben uns auf solche Spielchen nie mehr eingelassen, obwohl wir nahe daran waren, als wir in Tansania neben vielem Plunder einmal eine ganz toll geformte Giraffe aus Ebenholz sahen, etwa einen Meter fünfzig hoch und von graziler Gestalt. Aber eben nur mit dem Schiff zu transportieren, bezahlt werden musste auch gleich. Wir haben es lieber gelassen.

Zu Hause erwartete mich ein Schreiben von der Stasi-Unterlagenbehörde. Ich hatte einen Antrag auf Akteneinsicht gestellt, und nach längerem Warten kam die Nachricht, in Leipzig in der „Runden Ecke" meine Akte einsehen zu können.

In dem Raum saß noch ein Betroffener mit einem dicken Stapel Akten, ich schämte mich mit meinen gerade mal zweiundsiebzig Seiten, aber besser als gar nichts. Denn es gab Kollegen, die einen Aktenneid entwickelten angesichts der Tatsache, dass für sie keine Aufzeichnungen der Stasi vorlagen. Einer meinte, seine Akte sei so wichtig und würde deshalb in Berlin unter Verschluss gehalten. Schäbiger Aktenneid.

Ich saß jedenfalls bei der Behörde und schlug die erste Seite auf. Sofort fiel mein Blick auf einen Namen, „Viktor", und ich dachte, dies sei ein auf mich angesetzter Spitzel, knurrte „dieses Schwein" in mich hinein und war gespannt, wer sich dahinter verbergen würde. Ich will es vorwegnehmen, die hatten den Namen für mich ausgewählt, es wurden im Laufe der Jahre dreizehn Sonderüberprüfungen zu meiner Person durchgeführt. Man wollte mich für Auslandsspionage einsetzen. Von all dem wusste ich die ganze Zeit über nichts.

Es standen dann noch Dinge drin wie ein geöffneter und fotokopierter Brief an Kneissl wegen der Ski. Kneissls Name tauchte immer mal wieder auf und auch die trotz perfekter Überwachung doch auch grenzenlose Dummheit mancher Mitarbeiter wurde sichtbar, wenn zu lesen war: „Nach intensiver Nachforschung konnte in der BRD kein Bürger Kommerzialrat Franz Kneissl gefunden werden", dabei waren die Briefe nach Kufstein/Tirol adressiert gewesen.

Es standen dann auch belanglose Dinge drin, mein Windsurfen, was für ein Auto ich fuhr, wie alt Bert war und nichts Nachteiliges über mein moralisches Verhalten, was man immer darunter verstehen konnte. Auch, dass meine Nichte Kathrin aus Bensberg eine interessante operative Person sei. Sie wusste auch von allem nichts, erzählte mir aber, dass bei einem Spiel der Bundesliga-Volleyballmannschaft aus Münster, der sie angehörte, in Schwerin ein junger, allen Spielern völlig unbekannter Mann am Abend nach dem Spiel bei ihnen am Tisch einfach Platz genommen und ganz komische Fragen gestellt hatte. Die Mädels hatten gewonnen und waren in Feierlaune, der Stasifritze hatte sicher keinen erfolgreichen Abend. Auch dass dann kein Interesse mehr an ihrer Anwerbung bestand, war bei mir zu lesen.

Einmal hatte ich mir die „Bayer Nachrichten – Veterinärmedizin" schicken lassen. Das war auch vermerkt. Und natürlich die Besuche in Bensberg ab 1984. Einige Stellen waren geschwärzt im Text, und ich konnte auch trotz intensivstem Bemühen keine Schlüsse daraus ziehen. Wer sollte hier geschützt werden? Auch der Anwerbungsversuch wurde dokumentiert, und die Löschung desselben.

Bei einer Veranstaltung unserer Tierärzte in der Jagdhütte im Leinawald hatte ich mich mit Vaerst über die Westreisen unterhalten und wie man am besten mit dem Auto fahren könne. Dieses Gespräch fand sich fast wörtlich in meiner Akte, sogar noch mit persönlichen Einschätzungen des Informanten.

Drei Decknamen von „IMs" die auf mich angesetzt waren, fand ich. Zwei dieser Leute durften nicht enttarnt werden, da sie mir keinen Schaden zugefügt hätten, so die Auffassung der Unterlagenbehörde. Den dritten erfuhr ich, und es haute mich fast um. Es war ein Kollege, mit dem wir auch befreundet waren, dem ich sogar noch die Decknamen vor der Offenlegung nannte, er musste ja wissen, was nun auf ihn zukommen würde. Aber wie es so ist, keiner will etwas Böses getan haben, im Gegenteil, er hätte uns ja gewissermaßen beschützt. Die IMs stellten sich fast immer mehr als Opfer denn als Täter dar.

Am Ende der Akte war zu lesen: „Die Aufklärungsergebnisse der Sonderüberprüfungen ergaben keine Hinweise, die gegen einen Einsatz des Werner (diese Wortwahl!) als Tierarzt sind." Die hatten es in der Hand, einen Menschen zu vernichten, wenn sie gewollt hätten. So ging alles gut, und es gab auch anständige Beamte in der DDR.

Als mein Freund Frank noch zu Ulbrichts Zeiten in den Knast musste, der Grund spielt hier keine Rolle, wurden seine privaten Sachen beschlagnahmt. Darunter auch ein Brief von mir, in dem ich unter anderem schrieb, er „solle mir die Briefmarke unseres gemeinsamen Freundes verzeihen, aber ich hatte keine andere." Es war eine Marke mit dem Konterfei von Walter Ulbricht. Der Frank verhörende Kripomann sagte ihm, er solle mal mit mir reden, so etwas schreibe man in der DDR nicht in einem Brief.

Die Beschäftigung mit der Akupunktur machte mir richtig Spaß, zumal ich die Möglichkeit erhielt, bei der Akademie für Tierärztliche Fortbildung als Referent für Ohrakupunktur mit weiteren drei Kollegen zweimal jährlich Fort- und Weiterbildungsveranstaltungen für interessierte Kollegen durchzuführen. Im Rahmen dieser Aufgabe wollte ich eine möglichst genaue Karte der Ohrpunkte beim Rind, Schwein und Schaf erstellen, für alle anderen Tierarten gab es diese schon.

Schweine lassen sich sehr schlecht für ein solches Unterfangen gewinnen. Ihnen am Ohr herumzufummeln führt zwangsläufig zu Abwehrbewegungen und Unruhe. In unserer Sauenzuchtanlage wurden monatlich etwa zehn Jungsauen aus anderen Betrieben zugeführt. Ich suchte mir ein Tier aus, nannte es Peggy, streichelte es täglich und redete mit ihm. Nach drei Wochen war das Verhältnis so innig, dass sie beim Rufen ihres Namens schon aufsprang und die Ohren spitzte. Dann konnte ich mit dem Suchen von Punkten am Ohr beginnen, wobei ich auch gewisse Schmerzreize an zum Beispiel dem Knie oder anderen Körperstellen setzen musste. Alles ließ sich das Tier gefallen, und so entstand nach einem Jahr eine brauchbare Übersicht über die Punkte am Ohr. Ich habe die Manipulationen an diesem Schwein aber bewusst auch den Angestellten des Stalles gezeigt, denn schnell kommt man auf dem Lande in den Verdacht, eine etwas delikatere Beziehung zu einem Tier aufzubauen. Und der Dorfklatsch ist am Ende kaum zu beeinflussen.

Es wurden schöne Jahre, Regina kam nun auch öfter mal raus aus dem Dorfalltag. Berlin, München, Hannover, aber besonders in Gießen waren die Fortbildungen ein Höhepunkt. Wir mieteten für unsere Mitstreiter ein schönes Hotel, und die Abende nach dem ersten Tag, an dem immer noch ein gewisses Lampenfieber vorherrschte, wurden zum Erlebnis, mit tollem Menü und einer Gemeinsamkeit unter uns Referenten, wie ich es noch nie unter Kollegen erlebt hatte. Besonders mit Ingrid Kronberger aus München und ihrem Mann Hans verband uns bald so etwas wie Freundschaft. Auch wurde ich immer sicherer bei meinen Vorträgen, die Technik immer ausgefeilter und statt die immer wieder wegrutschenden und durcheinanderkommenden Folien zu benutzen, war mit PowerPoint und Computer endlich ein System gefunden, mit dem alles auch Spaß machte. Aber die Zeit verging, alle wurden immer älter, und nach etwa dreizehn Jahren war es zu Ende mit unseren Kursen, schade.

Ich konnte die Akupunktur auch erfolgreich bei den Tieren meiner Praxis anwenden. Es soll aber keiner denken, man würde mit so etwas reich. Diese Therapie blieb immer nur ein Nischenprodukt, wenngleich auch so mancher Erfolg noch lange im Gedächtnis verhaftet bleibt.

Wie sich so manches herumspricht, ich weiß es nicht. Aber eines Tages kam ein Anruf aus Gera, ob ich mir mal ein Pferd anschauen könnte, was immer mal wieder eine Lahmheit des rechten Hinterbeines zeigte. Ich kutschte dorthin, zu einem Pferdehof, und ein drahtiger älterer Mann begrüßte mich. Er war ein ehemaliger Rittmeister, immer noch mit dem Pferdesport verbunden und mit einem ausgesprochen tiefen Wissen um alles, was mit Pferden zusammenhing, gesegnet. Aber bei seinem Tier, er nannte es „die Wunderziege", kam er auch nicht weiter, hatte schon alles Mögliche versucht und setzte nun seine letzte Hoffnung auf mich.

Ich suchte am Ohr nach auffälligen Punkten, behandelte diese sowie wichtige Körperpunkte. Nach drei Behandlungen alle zehn Tage war die Lahmheit verschwunden, bei später auftretenden

Erkrankungen musste ich immer mit meinen Nadeln anrücken. Das sprach sich herum, die anderen Pferdebesitzer waren aber erst mal skeptisch gegenüber meinen Methoden, nur eine ältere Dame stellte mir ihr Pferd vor. Aber ein Hundebesitzer mit einem Boxer wollte unbedingt meine Dienste in Anspruch nehmen und kam dann von Zeit zu Zeit in die Praxis. Und dann kamen aus Gera und Umgebung einige Besitzer von Windhunden zu mir, eine dieser Personen brachte gleich die betagte Mutter mit, die ich jedes Mal mitbehandelte. Ein Whippet war an einer schlimmen allergischen Hautveränderung erkrankt, der gesamte Körper des Hundes schien nur noch aus Wundfläche zu bestehen, dass der Besitzer schon die Euthanasie ins Auge fasste. Aber dessen Frau versuchte es immer wieder, wir behandelten fast ein ganzes Jahr lang, Golddauernadeln im Ohr, Laserakupunktur, Kauterisation von Ohrpunkten. Ich hatte auch keine Hoffnung mehr, zumal vorher alle schulmedizinischen Möglichkeiten ausgeschöpft worden waren. Und dann kamen sie vor Freude strahlend in die Praxis, die Wunden waren am Verheilen und es wuchsen schon wieder ganz zarte Härchen am Körper. Dieser Hund wurde in all den Jahren bei meinen Vorträgen immer als Beispiel gezeigt, auch dann noch, als er schon lange an Altersschwäche gestorben war. Und auch jetzt noch, über zwanzig Jahre nach diesen Fällen, lassen sich diese Patientenbesitzer von mir beraten und kommen mit ihren Tieren zur Behandlung.

Micha war ein begeisterter Segler. Früher waren wir auf jeder Windsurfregatta in der DDR vertreten, jetzt, auch älter geworden, war ein Segelboot sein zweites Zuhause. Und so war es auch nicht verwunderlich, dass er nach Segeltouren in den karibischen Gewässern Ausschau hielt. Da wir auf vielen gemeinsamen Reisen, ob im Sommer oder zum Skifahren im Winter, ein ausgesprochen herzliches Verhältnis hatten, es gab niemals Streit und Missgunst, fragte er uns, ob wir nicht Lust hätten, einen Segeltörn in der Karibik zu machen. Wir wussten nicht, auf was wir uns einließen und sagten freudig Ja. Von Martinique aus sollte die Tour über St. Lucia, Bequia, Mustique nach Mayreau, die Tobago Cays, Palm Island und Union Island gehen, von dort per Flug wieder nach Martinique.

Das Boot war zwar geräumig, jedes Paar hatte seine Toilette, die Kajüten gingen auch so einigermaßen. Wenn das Schiff nachts in der Dünung von einer Seite zur anderen schaukelte, rollte einer von uns beiden natürlich auf den anderen. Heiß war es in den Kajüten, obwohl wir die Bullaugen sowie die Tür offenließen, schwitzten wir dermaßen, dass wir uns wie Schweine in der Suhle fühlten. Dazu kam noch der karibische Regen, der immer mal unerwartet nachts über uns hereinbrach. Wir wachten dann auf, weil uns die Regentropfen ins Gesicht platschten. Und an Deck saßen wir, Andrea und Micha, Petra und Arne, Regina und ich an einem Tisch mit Löchern für die Gläser, damit sie bei dem Geschaukel nicht umfallen konnten. Aber das Meer sah so aus wie in den Prospekten der Reiseveranstalter, herrlich grün und blau, glasklar, wunderbar zum Schnorcheln.

Ich hatte immer von mir gedacht, niemals seekrank zu werden, da ich früher oft stundenlang in den Wellen des Boddens gesurft war, aber am dritten Tag passierte es. Regina hatte es schon nach dem ersten Tag erwischt und dann regelmäßig weiter. Ich wollte in der Kajüte einen neuen Film in die Kamera legen, da schwankte die Bettdecke plötzlich hin und her, alles andere verschob sich ebenfalls vor meinen Augen und ich stürzte an Deck, schaffte es gerade noch zum Heck und kotzte, glücklicherweise mit dem Wind, pausenlos. So saß ich den ganzen Tag, die lange Überfahrt zur Rodney Bay, am Heck, fütterte alle halbe Stunde die Fische und wunderte mich nur, wie viele Speisereste doch in so einem Menschen stecken konnten. Es war das einzige Mal auf unserer Fahrt, ab dem nächsten Tag ging es dann wieder bergauf mit mir.

An einem Abend machten wir Station in der Marigot Bay. Dort gab es ein hübsches Restaurant, wir, außer der armen Regina, waren hungrig und freuten uns auf Lobster (Langusten) oder frisch gebratenen Fisch. Wir mussten unser Bugseil mit einem Seil am Strand verbinden, das wiederum an einer Palme befestigt war. Micha teilte mich zum Festmachen ein, ich hatte aber trotz irgendwann einmal gemachten Segelscheins keine Ahnung mehr, wie der richtige Knoten aussehen musste. Ich machte einen chirurgischen Knoten, den konnte ich wenigstens, aber der ging auch nie wieder auf.

Nachdem wir die Kneipe verlassen hatten, sollte ich das Tau wieder fachgerecht lösen. Von meiner Ungeschicklichkeit wussten die anderen nichts. Im Dunkel der Nacht versuchte ich mein Glück. Der Knoten saß. Kein Mensch war am Strand zu sehen, auch der Besitzer des Seils nicht. Kurzerhand zückte ich mein scharfes Messer und säbelte dessen Teil durch. Gesagt habe ich das niemandem. Aber wie es der Zufall will, acht Tage später kamen unser Neffe Gunnar und seine Segelcrew an die gleiche Stelle. Der Besitzer des Taus erzählte denen von Leuten, die ihm das Seil durchgesäbelt hätten und was für Idioten das gewesen sein mussten. Gunnar berichtete dies mir Jahre später, und ich sagte ihm: „Der Idiot war ich."

Meinen sechzigsten Geburtstag feierten, na ja, verlebten wir auf der Insel der Schönen und Reichen, auf Mustique. Aber weder Mick Jagger noch Prinzessin Margaret, die dort ihre Flitterwochen verbracht hatte und nun eine schneeweiße Villa unter Palmen besaß, ließen sich blicken. Aber Arne hatte ein nettes Gedicht für mich verfasst:

„Wird man 60, ist nicht weise, macht man eine Segelreise!

Man will den karib'schen Wellen sich als alter Surfer stellen. Auf der ersten Überfahrt wird an Wellen nicht gespart, und sein gut gefüllter Magen kann die Wellen nicht vertragen und kommt deshalb zu dem Schluss, dass der Inhalt rauswärts muss!

‚Ach, ich tu mich', so sein Stöhnen, ‚nach den Elefanten sehnen!

Da gibt es nur Bodenwellen, denen kann ich mich stets stellen!

Doch an allen andren Tagen bleibt er zu, der Buddymagen.

Drum wünschen wir zu seinem Feste vom Guten nur das Allerbeste.

Dass Leber, Darm und auch der Magen all das, was reinkommt kann vertragen, dass Galle, Hoden, Milz und Nieren immer genug Sekrete führen, dass die Prostata nichts verschließt und der Urin in Strömen fließt. Im weitren Leben niemals Ärger, das wünschen zweimal Weiß und zweimal Berger'." (Petra, Arne, Andrea, Michael/21. 02. 2000)

Abends feierten wir in „Basils Bar", aßen den teuersten Lobster der ganzen Reise und waren enttäuscht, weil Mick Jagger nicht barfuß die Bar betrat, wie es doch immer in den Reiseführern steht.

Auf Bequia, der größten Insel der Grenadinen, wäre es um ein Haar zur Seebestattung unserer Petra gekommen. Wir saßen am Abend im Restaurant des Hotels Frangipani in der Admirality Bay und hatten wieder einmal Lobster bestellt. Petra wollte zuerst nicht so recht, aber wir überredeten sie, die Gelegenheit zu diesem Genuss nicht zu verschenken, und sie aß ihre Portion gehorsam auf. Dann ging sie kurz mal nach draußen, wir ahnten nicht, warum. Aber sie kam nicht wieder. Nach einer ganzen Weile, wir hatten alle aufgegessen und bezahlt, sahen wir die Bescherung vor der Tür. Dort lag Petra, die Augen verdreht, nicht in der Lage sich zu artikulieren. Sie hatte einen Eiweißschock übelster Art. So langsam bekamen wir sie wieder auf die Beine und Micha chauffierte sie und Arne mit unserem Dinghi zum Boot. Dann holte er uns ab. Ich vergaß, das Seil des Schlauchbootes ins Innere zu werfen, es wurde hinterhergeschleppt und verfing sich dann in der Schraube des Motors. Kurz vor unserem Segelboot war es dann zu Ende, der Motor gab seinen Geist auf und die letzten Meter zum Boot legten wir paddelnd zurück. Und Micha war echt sauer ob solchen Ungeschicks. Er beschimpfte aber nur seine Frau, nicht mich. Petra erholte sich wieder bis zum nächsten Tag, aß aber nie wieder Krustentiere.

Auf der Insel kauften wir noch eine Angel, keine mit Rute und so, sondern nur ein Brettchen mit einer einhundert Meter langen Schnur. Die sollten wir an der Reling befestigen, eine kleine Schlaufe hineinzaubern und ein Hölzchen dort reinstecken. Wenn ein Fisch anbiss, sollte das Holz vibrieren oder durchbrechen. Um es vorweg zu nehmen, wir haben nie was gefangen, sondern unsere Fische bei den Einheimischen gekauft.

Bei der Einfahrt in einen Hafen musste das Teil eingerollt werden, um andere Boote nicht zu gefährden. Aber bei uns war ja manchmal Hopfen und Malz verloren. Wir steuerten Palm Island an, als plötzlich die Angelschnur wie verrückt zuckte. Ich wollte sie einrollen und hatte Glück, sie nicht ums Handgelenk gewickelt zu bekommen, das wäre sicher ab gewesen. Die Schnur spannte sich wie verrückt, dann zerbarst sie mit einem pfeifenden Ton. Draußen an der Hafeneinfahrt sahen wir ein Boot wie unseres, dessen Besatzung nun an seinem Motor herumfummelte, wütend mit den Armen fuchtelte und uns später fragte, ob die Reste der Schnur uns gehörten. Mit Gesichtern, die unschuldiger nicht hätten aussehen können, verneinten wir. Deren Motor hatte offensichtlich Schaden genommen und wir hatten keine Lust, dafür aufzukommen. Es war alles recht schön, aber Regina und ich haben nie wieder einen Segeltörn gemacht!

Wieder einmal hatte Roland Becker Einfluss auf mein Leben. Von ihm hörten wir nach der Wende erst mal so gut wie nichts. Nur, dass er in Scheidung lebte, seine zweite Frau sollte nun auch der Vergangenheit angehören, die dritte stand dann auch bald bereit, und mit ihr ist er sogar heute noch liiert. Von Roland kam eine Postkarte, drei spielende Delfine im blauen Wasser, und er schrieb stolz, er hätte seinen Tauchschein gemacht auf den Balearen und er sei in zwölf Metern Tiefe mit diesen Tieren geschwommen. Sicher wollte er mich wieder einmal ärgern, da er wusste, wie gern ich an seiner Stelle gewesen wäre.

Nun hatte ich Blut geleckt und wollte es ihm unbedingt gleichtun. Mit Andrea und Micha waren wir nach Ägypten geflogen ins Mövenpick Resort El Quseir. Ich versuchte, dort einen Tauchkurs zu belegen, aber die Basis hatte schon genug Schüler und ihren festen Ausbildungsplan, der eine verkürzte Schulungszeit nicht zuließ. Ich konnte dort kein Taucher werden! Immerhin machten Regina und ich wenigstens einen Schnuppertauchgang, das war aber alles. So blieb uns dort nur das Schnorcheln am phantastischen Hausriff.

Micha besaß ein Gerät, was ihm ermöglichen sollte, bei etwa zehn Metern zu tauchen, ohne eine spezielle Ausbildung zu benötigen. An jedem seiner Gliedmaßen waren Stricke befestigt, und ein Schlauch ging von seinem Mundstück zur Oberfläche. Dort schwamm eine Boje mit so was wie einem Schnorchel. Er musste immer Schwimmbewegungen machen, wie ein Frosch, damit Luft angesaugt werden konnte, die er dann einatmete. Es sah grotesk aus. Immer wieder verhedderten sich die Stricke und Micha zappelte an der Oberfläche und streckte den Kopf aus dem Wasser, wie ertrinkend nach Luft schnappend. Ich ertrank bei diesem Anblick auch bald vor Lachen. Das Ding war absolut untauglich für Unterwasserausflüge. In dem zugehörigen

Firmenvideo sah dies natürlich ganz einfach und irgendwie toll aus, das ist ja meist so, wenn ein Produkt angepriesen wird. Aber es wäre nicht Micha gewesen, wenn er nicht versucht hätte, mir dieses Ding aufzuschwatzen. Ich lehnte dankend ab und Regina war froh, dass ich mich dieses Mal nicht zu einem unüberlegten Kauf hinreißen ließ.

Einmal begonnen ließ ich nun nicht locker und meldete mich zu Hause bei einer Tauchschule an und machte dort die nötige Ausbildung. Das dauerte länger als im Urlaub im Süden, war aber sicher auch besser. Nur das Tauchen in den kalten, trüben Gewässern machte keinen Spaß. Regina war anfangs noch tapfer dabei, zumal sie keine Scheu vor Wasser und Wellen hatte, aber beim Tauchen bekam sie in der Tiefe eigenartige Beklemmungen und musste die Ausbildung abbrechen.

Lustig war der Ausbildungsgang „Tauchen im Pool". Regina fragte unseren Lehrer, ob das denn auch in unserem Gartenpool gehen würde. „Ja, wie tief und groß ist er denn?", fragte er. „Ein Meter siebzig tief und neun Meter lang, fünf Meter breit", war unsere Antwort. „Ja, das würde reichen." Und so machten wir einen Termin an einem sonnigen Samstag, quälten uns in die Neoprenanzüge und standen dann zu dritt mit Flaschen auf dem Rücken in voller Montur am Beckenrand. Spaziergänger, die vorbeikamen und uns so sehen konnten, dachten sicher: „Jetzt ist unser Doc völlig verrückt geworden, und seine Frau gleich mit."

Das Bild erinnerte sicher an eine Situation vor vielen Jahren, als ich beim Anlegen einer Rasenfläche nach dem Auftragen von Mutterboden im Sommer, nur mit einer Badehose bekleidet, meine Skistiefel angezogen hatte und meine Abfahrtsski unter die Füße schnallte, um dann, die Stöcke als Gleichgewichtsspender in den Händen, die Erde unter meinen Füßen festzutreten, mühsam, aber eine für diese Arbeit nötige Walze konnte ich nicht auftreiben. Auch damals rätselte man über meinen Geisteszustand.

In meinem Leben hat Sport immer eine große Rolle gespielt, nach der intensiven Judozeit begann die nicht minder intensive Zeit des Windsurfens, etwa fünfzehn Jahre lang. Aber nach der Wende mussten andere Prioritäten gesetzt werden, die Praxis hatte Vorrang. Meine Surfbretter samt Segeln und Gabelbäumen warf ich kurz entschlossen in einen Abfallcontainer, aber es fehlte dann doch etwas, was neben der Arbeit noch Spaß machen sollte. So bekam das Tauchen einen hohen Stellenwert. Zwar hatte ich keine Lust, in den eiskalten und doch uninteressanten Binnenseen meinem neuen Hobby nachzugehen, aber die Urlaube wurden so geplant, dass immer die Möglichkeiten für Unterwassererlebnisse gegeben waren.

Ich war inzwischen zweiundsechzig Jahre alt, was ich immer so gut es ging verheimlichte, und im Januar buchten wir eine Reise nach Kenia, erst eine Safari in den Tsavo, die Massai Mara, um anschließend noch an der Küste einige Tage zu verbringen. Natürlich war ich scharf auf das Tauchen, das erste Mal im Indischen Ozean. Es gab auch eine Tauchbasis, ich konnte mir Jackett und Regler leihen, da ich nur Anzug, Flossen und Brille mithatte. Später habe ich mir das gesamte Geródel gekauft und damit die Gepäckprobleme beim Fliegen nicht gerade entschärft.

Ich hatte gerade acht Tauchgänge hinter mir, also noch wenig Erfahrung, was Tarierung, Atemtechnik und so weiter angeht. Deshalb hatte ich einen Tauchlehrer an meiner Seite. Aber eine gute Wahl war der nicht, wie sich herausstellte. Mein Luftvorrat reichte gerade mal für dreißig Minuten, und widerwillig gab mir mein Guide seinen Oktopus, das ist ein zweites Mundstück mit Schlauch, mit dem ich aus seiner Flasche weiteratmen konnte. Der Schlauch war aber so kurz, dass ich eine unmögliche Haltung einnehmen musste, es sah aus wie ein Baby, welches an der mütterlichen Brust saugt. Mein Kopf war in Schiefhaltung, ich konnte kaum etwas sehen, dauernd lief mir Wasser in die Maske, was ungeduldige Reaktionen meines Mittauchers hervorrief.

Die knappe Stunde verging, wir waren wieder an Land zur Mittagspause und mein Lehrer sagte laut in die Runde, damit ich es auch hören konnte, er wolle beim nächsten Tauchgang mal wieder störungsfrei eine Stunde lang unter Wasser bleiben können. So ein Arsch!

Die nächste Tour lief natürlich genauso ab, Luft weg, Oktopus, keine Sicht, weil Wasser in die Maske lief infolge der schiefen Kopfhaltung. Ein anderer hätte sicher mit diesem Sport aufgehört, aber ich war nur wütend auf diesen Lehrer und machte weiter.

Im gleichen Jahr begannen die „Marinebiologischen Seminare“, veranstaltet von Tierärzten aus Österreich. Im Mai ging es nach Istrien, jetzt begann das Tauchen richtigen Spaß zu machen. Tagsüber tauchen, abends Seminar mit ausgesuchten Fachreferenten, es war toll. Und im gleichen Jahr flogen wir zum ersten Mal auf die Malediven. Meine Taucherfahrung war zwar ein wenig angewachsen, aber ich hatte doch etwas Fracksausen. Mein Guide war ein Engländer, er sprach kein Deutsch, und ich verstand beim Briefing nur manchmal etwas. Wenn ein Witz gemacht wurde und alle lachten, saß ich daneben und wusste nicht, warum alle so heiter waren. Aber das war ein Tauchlehrer, wie er sein sollte. Er machte mir klar, und ich verstand es sogar, er sei nur für mich da und nicht umgekehrt. Wenn ich zu wenig Blei hätte, dann würde er mir von seinem abgeben, und im Übrigen solle ich völlig relaxt sein, er passe auf mich auf.

Es wurden wunderbare vierzehn Tage, bald konnte ich mit Wolfgang, einem jungen Wiener, als Buddyteam tauchen, am Hausriff auch ohne Gruppe, und die Sicherheit nahm von Tag zu Tag zu. Endlich hatte ich Roland überholt und konnte ihm meine Erfolge mitteilen. Es folgten wunderbare Jahre mit Tauchgängen in Ägypten, der Soma Bay und der Lahamy Bay, auch in Sharm El Sheik, auf den Malediven und Bali.

Das Unglück, na ja, ich sollte es doch nicht so nennen, begann bei einem Urlaub auf Mauritius. Nach einer Woche mit viel Regen und sogar an einem Tag einer Zyklonwarnung konnten wir, Kerstin, Roland und ich, endlich die Unterwasserwelt erkunden. Es war recht schön.

Unsere beiden Mitreisenden Elke und Charly beschnupperten den Neun-Loch-Golfplatz, da sie seit Kurzem diesem Sport ihr Herz geschenkt hatten. Roland spielte auch eine Runde, er besaß ebenfalls eine Platzreife, was ich vorher nicht gewusst hatte. Meine Abneigung diesem Sport gegenüber war immer noch leicht vorhanden, ich lief mal eine Bahn lang mit den dreien, wollte auch mal einen Ball schlagen aber stieß auf Empörung, da ich doch keine Platzreife hätte. Ich nahm meinen Regenschirm so, dass der Griff wie der Schlägerkopf funktionieren sollte, und schlug einen ihrer Bälle immerhin etwa fünfzehn Meter weit. Es klappte beim ersten Mal, ein zweiter Versuch war auch nicht möglich, da der Schirm nun kaputt war.

Nun wollten Kerstin, Rolands Frau, und ich es wissen und vereinbarten eine Probestunde bei einem der Angestellten des Golfplatzes. Kerstin jammerte bei jedem Schlag, ihre Brüste würden im Wege sein, es gehe mit diesen Dingern überhaupt nicht, dazu rülpste der Guide ihr dauernd in den Nacken, sie war frustriert. Bei mir war der Erfolg auch recht bescheiden. Aber so ein bissel hatten wir dann doch Spaß daran gefunden. Und so war es nicht verwunderlich, dass wir im selben Jahr das Sonderangebot eines Golfplatzes in Österreich zur Erlangung der Platzreife annahmen, preiswert, tolle Lage an der Grenze zu Ungarn, nur sechs Tage, nettes Hotel.

Das Tauchen hatte ich mit einundsechzig, das Golfen mit achtundsechzig Jahren begonnen, besonders für Letzteres nicht unbedingt ein günstiges Alter. Aber nun nahm das Unternehmen „Golfen" seinen Lauf. Zu Beginn war ich heiß auf jede Runde, die ich spielen konnte, aber es wurden auch Stunden der absoluten Depression. Noch nie hatte ich eine Sportart wie diese betrieben, manchmal klappte alles so gut und ich war zufrieden und glücklich, aber dann ging wieder einmal überhaupt nichts zusammen, der Schläger machte, was er wollte, ich haute in den Dreck oder über den Ball, oder der flog in Richtungen, die ich ihm nie befohlen hatte zu fliegen. Obwohl ich das Wasser so liebte, besonders den Teil unter der Oberfläche, gehorchte mir der Ball fast nie, wenn es galt, ein solches Hindernis zu überwinden. Wahrscheinlich, nein, sicherlich, hatte ich ihn falsch angesprochen und er dachte: „Wenn mein Herrchen schon die Unterwasserwelt so liebt, dann will ich ihm doch den Gefallen tun und auch hineintauchen." Und so nahm das Unglück, manchmal auch Glück, des Golfspielens seinen Anfang. Zur Strafe, weil ich Anfang der Neunzigerjahre den Golfplatzantrag in unserer Gemeinde so vehement abgelehnt hatte? Wer weiß, vielleicht wäre es sowieso nichts geworden mit diesem Projekt, so wurde ich nun Mitglied in einem Club, der einhundert Kilometer von Langenleuba entfernt liegt.

Es soll nun nicht so aussehen, als ob ich mich nur noch irgendwelchen weltlichen Vergnügungen hingegeben hätte, nein, es gab auch immer wieder in der Praxis Dinge, die aus dem normalen Alltag eines Tierarztes herausfielen. Unsere Schweineanlage hatte eine Futterumstellung vorgenommen und vom Kraftfutterwerk statt mehlförmiges gebröseltes Sauenfutter erhalten. Die Schweine fraßen das nicht. Auch eine neue Lieferung wurde von den Tieren verweigert. Kluge Schweine. Aber ein bissel fraßen sie dann doch, um nicht zu verhungern. Daraufhin ging die Trächtigkeitsrate bei allen Tieren dramatisch Richtung Null. An den Klauen traten blutige Veränderungen auf, die Haare fielen den Tieren aus und innere Organe zeigten verschiedene krankhafte Veränderungen. Das zuständige Institut in Leipzig schlug Alarm und sprach den Verdacht auf Maul- und Klauenseuche aus. Das wäre der absolute Super-GAU gewesen.

Da ich in früheren Jahren schon viele Fälle dieser Krankheit gesehen hatte, in den letzten dreißig Jahren aber kaum jemand der jüngeren Kollegen damit Erfahrung gemacht hatte, stand meine Meinung fest. MKS konnte es niemals sein. Ich hatte einen anderen Verdacht. Ich will nicht ein überragendes Wissen für mich in Anspruch nehmen, denn irgendwo hatte ich rein zufällig etwas über Selenvergiftung gelesen, und die Symptome bei den Sauen und Ferkeln stimmten genau überein mit dem Gelesenen. Aber wie das so ist, ein kleiner Landpraktiker kann erst mal nicht recht haben.

Es kam, wie es kommen musste, der Verdacht blieb bestehen, bis das Labor auf der Insel Riems keine MKS nachweisen konnte. Aber die Futtermischung und auch die Blutproben der Sauen wiesen einen stark erhöhten Selenspiegel auf. Der Bestand war so vergiftet, dass Behandlungen nicht möglich waren, alle Tiere mussten letztendlich geschlachtet werden.

Endlose Sitzungen mit Behörden, Rechtsanwälten des Futterherstellers und Versicherungen, alles zog sich über sechs Monate hin. Dann, nach Räumung des Bestandes, Desinfektion und umfangreichen Umbaumaßnahmen wurden wieder neue Tiere eingestallt.

Etwa ein Jahr war verstrichen. Die neuen Schweine kamen aus Dänemark, sie sollten aus völlig abgesicherten und gesundheitlich auf höchstem Niveau stehenden Beständen kommen. Als Erstes stellte ich eine starke Besiedlung mit Endoparasiten, Würmern, fest. Also Wurmkur für alle. So viele Spulwürmer auf einem Haufen hatte ich noch nie gesehen. Dann bekamen die Tiere Rotlauf, eine hochfieberhafte Erkrankung, die bei uns im Prinzip als ausgerottet galt. Was habe ich da behandeln müssen. Eine vorbeugende Impfung wie bei uns hatten die Tiere nie erhalten, mir konnte es nur recht sein, so hatte ich wenigstens ordentlich zu tun. Aber was mir so gar nicht gefiel, war die dauernde Einmischung der dänischen Kollegen, die aller vier Wochen durch den Bestand pilgerten und schlaue Ratschläge gaben. Auch wurde ich so nach und nach alle meine Tätigkeiten los, ich sollte nur noch meine Bestandsdurchsicht machen, Medikamente und Impfstoffe liefern und natürlich verantwortlich sein, wenn da was schieflaufen würde.

Mein siebzigster Geburtstag kam immer näher und ich verabschiedete mich aus der Großtierpraxis. Komischerweise habe ich noch jahrelang nachts von Kühen und Schweinen geträumt, gefehlt haben mir die Viecher schon irgendwie. Aber Kleintiersprechstunde halten wir noch täglich, zwar nur für zwei Stunden am Abend, aber so ganz aufhören kann ich immer noch nicht, obwohl das fünfundsiebzigste Lebensjahr nun überschritten ist.

Jahre zuvor … Mein Kollege Dr. Freiherr von Cramm rief an, wir hatten uns ja bei der Ausbildung Akupunktur kennengelernt, und fragte, ob Bert bei ihm in seiner Klinik in Freiburg/Breisgau anfangen könnte. Bert war begeistert. Aber nach acht Tagen kam ein erneuter Anruf, es ginge bei ihm dann doch nicht, die genaueren Umstände erfuhren wir nie, aber er könne bei seinem ehemaligen Chef Dr. Müller in Wuppertal anfragen, der suche jemanden als Assistenten. Ich rief bei Müller an und der war recht aufgeschlossen, meinte, er müsse in vierzehn Tagen nach Taucha bei Leipzig, dort feiere sein Bruder goldene Hochzeit und wenn es Bert passen würde, solle er da aufkreuzen und sich bei ihm vorstellen.

Wir kutschten an besagtem Tag zum Ratskeller in Taucha, Bert ging zu seinem Gespräch und ich besuchte derweil Renate und Axel, die in der Nähe wohnten. Nach einer Stunde kam Bert dorthin, hatte per Handschlag seine Anstellung erhalten und war ganz angetan von seinem neuen Chef. Der hatte ihm auch eine kleine Wohnung bei der Klinik besorgt, und so begann das Unternehmen Wuppertal.

An der Klinik arbeiteten neben einer weiteren Tierärztin auch drei Tierarzthelferinnen. Eine von denen, Paula, schien es Bert angetan zu haben, denn er begann, seinen Balztanz aufzuführen. Das ist natürlich nicht wörtlich zu nehmen, aber die beiden schienen sich füreinander zu interessieren.

Es kam dabei auch zu für Außenstehende äußerst lustigen Begebenheiten. Die zwei saßen einmal zusammen auf dem kleinen Sofa in Berts Bude, trauten sich noch nicht, sich zu berühren, da zog plötzlich ein penetranter Gestank in ihre Nasen. Jeder dachte vom anderen das Schlimmste, zumindest was die gasförmige Verdauung betrifft. Keiner wagte den anderen anzuschauen geschweige denn anzusprechen, bis Paula das Gefühl hatte, irgendeine Feuchtigkeit schlich sich durch ihre Jeans zur rechten Pobacke. Was war geschehen? Bert besaß eine Katze, und die hatte sich auf dem dunklen Sofa, vielleicht aus Wut über die Konkurrenz eines weiblichen Wesens, ihres Darminhaltes entledigt, schön dünn und dunkel. Unsichtbar auf dem dunklen Sofa. Der Angriff war geglückt, das Ergebnis konnte sich sehen lassen. Paulas Tierliebe verzieh der Katze ihr Verhalten und später wurde viel gelacht über die Situation.

Paulas Eltern besaßen einen Hund, Momo, einen Boxer. Das liebe Tier spielte dann als Liebeskatalysator bei Bert und Paula eine wichtige Rolle. Sie saßen wieder auf dem besagten Sofa, gereinigt und ohne verbliebene Düfte, Momo zwischen ihnen. Beide streichelten den Hund, ihre Hände kamen sich immer näher, bis sie sich berührten und nicht wieder losließen. Was dann geschah, haben uns weder Momo noch Bert und Paula erzählt, aber man macht sich als Eltern dann doch so seine Gedanken.

Bald wurde eine tolle Verlobungsfeier gestartet. Jetzt sind die beiden verheiratet, haben zwei Kinder, Leona und Jonas, wohnen in einem schönen Haus und haben ihre eigene Kleintierpraxis.

Unsere Enkel sind nun schon den Kinderschuhen entwachsen und finden es bei uns in Langenleuba doch ein wenig langweilig. Wir sehen sie leider nur noch selten. Als sie kleiner waren, kamen sie in den Sommerferien regelmäßig zu uns, besonders lockte da unser großer Swimmingpool, der immer ausgiebig genutzt wurde. Ob die Sonne schien oder kalter Wind und Regenschauer übers Land fegten, die beiden waren kaum aus dem Wasser zu bekommen, richtige Wasserratten. Oft bettelten sie: „Opi, komm endlich mit uns schwimmen."

Wir waren früher in jungen Jahren unter den Nackten an der Ostsee zu finden gewesen, und so wurde jetzt auch kein großer Firlefanz beim Aus- und Umziehen gemacht. Als ich mich mal meiner Badehose entledigte und nackt dastand, meinte eines der Kinder mit kritischem Blick: „Opi, dein Penis sieht aber verschrumpelt aus, bei unserem Papi ist das anders", um dann, Kinder kennen ja keine Grenzen, laut zu schreien: „Opi hat 'nen Schrumpelpenis ..." Und das nicht nur einmal. Ich hatte Mühe, sie zum Einhalten zu bewegen, denn ihre Rufe schallten über unser ganzes Wohngebiet.

Gerne spielten sie auch in meinem Hobbykeller. Dort befand sich ein Terrarium mit drei Sandottern, die schon in der vierten Generation bei mir lebten. Ich hatte sie noch zu DDR-Zeiten aus Bulgarien mitgebracht, und als sie das entsprechende Alter hatten, bekamen sie in jedem Jahr eine stattliche Anzahl von Babys.

Ich hatte schon immer eine Vorliebe für Kriechtiere aller Art, aber die sehr giftigen Reptilien aus Bulgarien waren etwas Besonderes. Begeistert schauten unsere Enkel zu, wenn eine Fütterung mit Mäusen anstand. Die Babyschlangen musste ich in den ersten Monaten zwangsfüttern, da die in ihrer Heimat vorkommende Art von Tausendfüßlern hier nicht zur Verfügung stand. Dabei wurde ich auch das eine oder andere Mal gebissen, aber vor einer solchen Aktion sorgte ich immer dafür, dass die Tiere schon einen Teil ihres Giftes abgesondert hatten. Ich ließ sie erst zweimal in einen Lederhandschuh beißen. So war mein Finger nur für einige Stunden geschwollen, tat zwar höllisch weh, aber es ging immer vorüber.

Einmal, ich dachte, die Tiere würden nun keine Jungen mehr zeugen können, da es nur noch Inzucht war, spielten die Kinder barfüßig in dem Kellerraum, als ich zwei winzige Babyottern auf dem Fußboden entdeckte. Sie waren durch ein kleines Loch einer Kabelzuführung aus dem Behälter der Elterntiere entkommen, sie waren sicher unmittelbar vorher geboren worden, denn ich hatte sie noch nicht gesehen. Mir blieb das Herz stehen. Was wäre, wenn …?! Mein Entschluss stand nun fest, die Schlangen mussten verschwinden, trotzdem sie toll aussahen mit ihrem kleinen Horn auf der Schnauzenspitze, die zwei Weiber braun, der Mann schwarz gefärbt, ein Zickzackband auf dem Rücken. Ich machte noch eine Bilderserie von ihnen, dann verkaufte ich sie an eine Schlangenfarm.

Ich habe die Behandlung von Menschen fast völlig eingestellt. Nur in Ausnahmefällen, bei guten Bekannten, schieben wir die Liege ins Behandlungszimmer und wetzen die Akupunkturnadeln. Eine Patientenbesitzerin, Katze, fragte mich anlässlich der Behandlung ihrer Mieze, ob ich ihr auch helfen könnte. Sie beschrieb mir ihre Symptome, und ich war mir ziemlich sicher, dass etwas mit ihrer Schilddrüse nicht stimmte. Bei so schwierigen Organerkrankungen habe ich immer erst mal die Behandlung abgelehnt und den Patienten zur genauen Diagnosefindung zum Arzt geschickt. Wie kam ich überhaupt auf „Schilddrüse"? Ich hatte am Ende meiner Studentenzeit und dann noch ein Jahr danach über Schilddrüsenerkrankungen bei Tieren gearbeitet und dabei auch jede Menge humanmedizinische Literatur gelesen. Ein bissel was war aus dieser Zeit im Gedächtnis hängen geblieben, und so kam ich zu dieser Erkenntnis. Kurzum, die Frau ging zu ihrem Hausarzt und bat um eine Überweisung zu einem Spezialisten. Der Kollege sprang fast an die Decke, fragte, woher sie denn diesen Unsinn hätte, und was, auch noch von einem Heilpraktiker, da könne sie ihr Geld doch gleich zum Fenster rauswerfen.

Eins muss ich der Frau lassen, obwohl sie und ihr Mann schon jahrelang Patienten bei diesem Arzt waren und ihn sogar duzten, ließ sie sich nicht von ihrem Vorhaben abbringen und erwirkte die gewünschte Überweisung. Beim nächsten Facharzt spielte sich alles fast so ähnlich ab, aber der machte dann eine Ultraschalluntersuchung und siehe da, es waren Knoten zu sehen, wo sie nicht hingehörten. In der Spezialklinik, die sie dann aufsuchen musste, fragte der Professor wieder, wer denn die Diagnose zuerst gestellt hätte. Sie antwortete: „Mein Heilpraktiker." Der Prof war verwundert. Dann fügte sie noch hinzu: „Aber an und für sich ist das ja mein Tierarzt." Der Arzt kam aus dem Lachen nicht mehr heraus, rief einige seiner Mitarbeiter zusammen und meinte, so etwas habe er noch nicht erlebt, ein Tierarzt findet die richtige Krankheit, während die dafür zuständigen Kollegen völlig daneben gelegen haben. Nun ist die Frau wieder fit und kommt regelmäßig mit ihrem Kätzchen in meine Praxis.

Die Kleintierpraxis von Bert ist fast immer gut gefüllt mit großen und kleinen Patienten und neben Paula sind noch zwei Tierarzthelferinnen angestellt. Da sich in den letzten Jahren immer mehr junge Kollegen in der Nähe niedergelassen haben, überlegt man sich schon, ob Urlaub gemacht werden kann oder nicht. Aber es gibt ja noch das Väterchen, das, obwohl nun über siebzig Jahre alt, doch noch einspringen kann, wenn Not am Mann ist.

Das ging zwei Jahre ganz gut, wenngleich die Arbeit bei mir nicht mehr so flüssig von der Hand geht wie noch vor dreißig Jahren, aber für zwei Wochen war das schon auszuhalten. Dann kamen aber zwei Jahre, in denen ich mein aus dem Takt gekommenes Herz wieder in Ordnung bringen lassen musste. Zweimal eine Katheterablation, also ein Eingriff am Herzen, da musste ich eine gewisse Schonzeit einhalten und konnte Bert nicht vertreten.

Inzwischen bin ich fünfundsiebzig, verschweige dies aber nach Möglichkeit überall, besonders wenn es zum Tauchen geht. Aber diesmal wurden es fast drei Wochen Vertretung, da Bert samt Familie nun endlich wieder einmal eine Urlaubsreise antrat. Nach Mexiko, also so weit weg, dass ich bei Schwierigkeiten in der Praxis keinen Rat einholen konnte. Aber das habe ich mir immer zum Grundsatz gemacht, egal, was passiert, aus dem Urlaub holst du die vier nicht zurück. Doch es passierte auch nichts, außer ein paar lustigen Begebenheiten. Ich habe zwar eine gewisse Ähnlichkeit mit meinem Sohn, einen Vaterschaftstest brauchte ich nie zu machen, aber der Altersunterschied ist doch gewaltig. An einem Vormittag kam die eine Helferin in das zweite Behandlungszimmer und sagte, die Patientenbesitzerin, deren Katze ich im anderen Raum behandelt hatte, meinte, nachdem ich rausgegangen war: „… Der Herr Werner ist aber alt geworden." Die Dame litt wahrscheinlich an einer Sehschwäche, aber wir schmunzelten.

Ein anderes Mal saß ein kleiner Hund vor mir auf dem Behandlungstisch, ich hatte ihn untersucht und wollte ihm ein Medikament spritzen, streichelte ihn aber vorher erst am Körper, dann über den Kopf. Die Frau flüsterte Koseworte und beugte sich dann plötzlich über das Tier, um dessen Kopf zu küssen. Da war aber auch meine streichelnde Hand angekommen, und so bekam ich statt des Hundes den Schmatz auf die Hand. Erschrocken fuhr die Dame zurück und stotterte eine Entschuldigung, aber ich meinte nur lachend, man könne es doch auch mal umgekehrt machen, damit nicht immer die Männer den Damen einen Handkuss geben müssen.

Das Lustigste war aber Folgendes: Wir behandelten ein Kaninchen, die Zähne mussten korrigiert werden. Dazu hatte die Helferin das Tier gut fixiert, ich beendete die Behandlung und schaute mir noch mal das Ergebnis an, hielt das Tier ebenfalls fest. Der Mümmelmann hatte sich mit seinen Krallen etwas verfangen in dem als Fixation benutzen Tuch, und die Helferin sagte: „Lass doch mal los, Schnuckelchen." Obwohl wir nicht per Du waren, dachte ich, ich sei gemeint, wobei ich das „Schnuckelchen" nicht vernommen hatte. Ich ließ also los, die Besitzerin des Tieres schaute uns ganz verwundert an, denn für sie klang es so, als ob Melanie Piontek, die Helferin, mich mit dem Kosewort gemeint hätte. Und Frau Piontek entschuldigte sich ganz erschrocken, auch meine Frau sollte doch nicht auf dumme Gedanken kommen, wenn ich das zu Hause erzählte. Aber ich fand es einfach nur köstlich, und die viele anstrengende Arbeit hatte wieder einmal ihre lustigen Seiten gezeigt.

Der Autor

Nach dem Abitur nahm Johannes L. Werner, Jahrgang 1940, ein Studium der Veterinärmedizin in Leipzig auf, danach übernahm er eine staatliche Tierarztpraxis. Er promovierte in Leipzig und machte eine Ausbildung zum Fachtierarzt für Schweine. Nach 1990 war er in einer privaten Tierarztpraxis tätig und betätigte sich zudem als Heilpraktiker und als Referent für Ohrakkupunktur bei der „Akademie für tierärztliche Fortbildung“. Ab 2010 betrieb er nur noch eine Kleintierpraxis. Neben dem Schreiben interessiert er sich für das Tauchen, Fotografieren, Golf und Tiere.

Lightning Source UK Ltd.
Milton Keynes UK
UKHW02n1328191117
312981UK00003B/92/P